ALLEN CARR

Endlich Nichtraucher

Buch

Wer kennt das nicht: Silvesternacht, ein neues Jahr bricht an, melancholisch wird die »letzte Zigarette« kurz vor vierundzwanzig Uhr angesteckt, denn man hat sich für das neue Jahr vorgenommen, endlich mit dem Rauchen Schluß zu machen. Aber auch das kennt man: Schon am ersten Tag im Jahr findet ein gemütliches Essen mit Freunden statt, wo einfach die kommunikative Zigarette nicht fehlen darf...

Mit dem Rauchen aufzuhören ist schnell gesagt, aber nur schwer in die Tat umzusetzen. Genau hier aber setzt Allen Carr mit seiner neuen Nichtrauchermethode an. Sein Buch konfrontiert den Leser mit diesen schwierigen Situationen, nimmt ihn an die Hand und gibt ihm Tips und Ratschläge, wie er diese Situationen auch ohne Zigaretten lösen kann. Dieses Buch ist kein medizinischer Ratgeber, sondern ein Buch, das den Raucher mit seinen psychischen Schwierigkeiten respektiert und sensibel darauf einzugehen weiß. Besonders verblüffend: Nach einigen Wochen der Abstinenz ist tatsächlich nach dieser Lektüre der Erfolg gesichert!

Autor

Allen Carr rauchte 1983 noch 100 Zigaretten am Tag. Dieser Konsum schlug jedoch mächtig auf seine Gesundheit, so daß er für sich eine Methode fand, die ihn vom Rauchen abbrachte. Er gab seinen Job als Wirtschaftsprüfer auf und gründete in England Nichtrauchergruppen, die mittlerweile Wochen im voraus ausgebucht sind. Raucher aus aller Welt reisen an, um sich von ihm beraten zu lassen. Allen Carr lebt mit seiner Familie in England. Auskunft über seine Nichtraucherkurse in Deutschland erhalten Sie unter den hinten im Buch angegebenen Adressen.

Allen Carr
Endlich Nicht-raucher!

Der einfachste Weg, mit dem Rauchen Schluß zu machen

Aus dem Englischen
von Ingeborg Andreas-Hoole

GOLDMANN

Originaltitel: Allen Carr's Easy Way To Stop Smoking
Originalverlag: Penguin Books, Ltd., London

Deutsche Erstausgabe

Für alle Raucher, die ich nicht
heilen konnte. Ich hoffe, das Buch wird ihnen zu
ihrer Freiheit verhelfen.

Und für Sid Sutton

Doch vor allem für Joyce.

Umwelthinweis:
Alle bedruckten Materialien dieses Taschenbuches
sind chlorfrei und umweltschonend.
Das Papier enthält bereits Recycling-Anteile.

Der Goldmann Verlag
ist ein Unternehmen der Verlagsgruppe Bertelsmann

Deutsche Erstausgabe Dezember 1992
© 1991 der Originalausgabe Allen Carr
© 1992 der deutschsprachigen Ausgabe
Wilhelm Goldmann Verlag, München
Umschlaggestaltung: Design Team München
Umschlagfoto: Guido Pretzl, München
Satz: Uhl + Massopust, Aalen
Druck: Elsnerdruck, Berlin
Verlagsnummer: 13664
Herstellung: sc
Made in Germany
ISBN 3-442-13664-4

15 17 19 20 18 16 14

Inhalt

Vorwort

Hier ist endlich die Wunderkur, auf die alle Raucher gewartet haben und das zeichnet sie aus:

- Sofortwirkung
- Durchschlagender Erfolg auch bei starken Rauchern
- Keine heftigen Entzugserscheinungen
- Verlangt keinen massiven Einsatz von Willenskraft
- Keine Schockbehandlung
- Verzichtet auf Hilfsmittel und Schnickschnack
- Sie werden nicht einmal zunehmen!
- Die Wirkung ist von Dauer

Rauchen Sie? Dann brauchen Sie nur weiterzulesen.

Falls Sie selbst nicht rauchen und dieses Buch nur für jemand gekauft haben, der Ihnen am Herzen liegt, dann brauchen Sie ihn nur zu überreden, dieses Buch zu lesen. Falls Ihnen das nicht gelingt, lesen Sie das Buch selbst; das letzte Kapitel enthält Tips, wie Sie dem Raucher die Punkte, auf die es ankommt, nahebringen können – und auch, wie Sie Ihre eigenen Kinder davor schützen, mit dem Rauchen anzufangen. Lassen Sie sich nicht davon täuschen, daß Ihre Kinder Zigaretten widerlich finden. Alle Kinder reagieren so, bis sie selber süchtig sind.

Einführung

»Ich werde die Raucher dieser Welt heilen.«

Das sagte ich zu meiner Frau. Sie glaubte, ich sei übergeschnappt. Verständlich, wo sie doch mit ansehen mußte, wie ich ungefähr alle zwei Jahre einen wirklich ernsthaften Anlauf unternahm, selbst das Rauchen aufzugeben. Noch verständlicher, wo ich doch nach dem letzten Versuch wie ein Kleinkind heulte, weil ich nach sechs Monaten Höllenqualen wieder einmal gescheitert war. Ich heulte, weil ich glaubte, daß ich lebenslänglich weiterrauchen müßte, wenn ich dieses Mal keinen Erfolg hätte. Ich hatte ungeheuer viel Energie in diesen Versuch investiert und wußte, daß ich nie wieder die Kraft finden würde, dieses Martyrium noch einmal durchzumachen. Sogar noch verständlicher, weil ich das sagte, nachdem ich gerade meine letzte – und endgültige? – Zigarette ausgedrückt hatte. Nicht nur ich betrachtete mich als geheilt, sondern ich wollte auch noch den Rest der Menschheit heilen!

Wenn ich auf mein Leben zurückblicke, kommt es mir vor, als wäre meine ganze bisherige Existenz nur eine Vorbereitung darauf gewesen, das Raucherproblem zu lösen. Sogar die verhaßten Jahre meiner Ausbildung und Arbeit als Wirtschaftsprüfer waren unschätzbar wertvoll, weil sie mir geholfen haben, die Geheimnisse der Nikotinsucht zu ergründen. Angeblich schafft man es nicht, die große Masse Mensch auf Dauer hinters Licht zu führen, doch ich glaube, daß die Tabakindustrie genau das jahrelang betrieben hat. Ich glaube auch, daß ich als erster den Mechanismus der Nikotinsucht wirklich begriffen habe. Falls das arrogant klingt, möchte ich rasch hinzufügen, daß das nicht mein Verdienst war, sondern es sich aus meinen Lebensumständen eben so ergeben hat.

Der bedeutungsschwere Tag war der 15. Juli 1983. Ich bin damals nicht von einer Sträflingsinsel geflohen, aber ich glaube, daß ein entsprungener Sträfling keine größere Erleichterung empfinden könnte als ich, der an diesem Tag seine letzte Zigarette ausdrückte. Mir wurde bewußt, daß ich etwas entdeckt hatte, von dem jeder Raucher nur träumt: eine einfache Methode, das Rauchen aufzugeben. Nachdem ich meine Methode an Freunden und Verwandten ausprobiert hatte, machte ich mich als Berater selbständig und half anderen Rauchern, sich von ihrer Sucht zu befreien.

Die erste Fassung dieses Buches schrieb ich 1985. Auf die Idee brachte mich einer meiner »Mißerfolge«, ein Mann, den ich in Kapitel 25 beschreibe. Er hat mich zweimal aufgesucht, und jedesmal endeten die Sitzungen mit einem beiderseitigen Tränenausbruch. Er war so erregt, daß es mir nicht gelang, ihn so weit zu lockern, daß er meine Worte aufnehmen konnte. Da kam mir der Gedanke, wenn ich alles aufschriebe, könnte er es lesen, wann und wie oft er wollte, und das würde ihm helfen, das Wesentliche zu begreifen. Ich schreibe diese Einführung anläßlich des Erscheinens der Neuausgabe dieses Buches. Ein kleiner roter Pfeil auf dem Umschlag informiert mich, daß es jahrelang ein Bestseller war. Ich denke an die Tausende von Briefen, die ich aus der ganzen Welt von Rauchern und ihren Angehörigen erhalten habe, an ihren Dank, daß ich dieses Buch geschrieben habe. Leider habe ich keine Zeit, alle diese Briefe zu beantworten, aber jeder einzelne macht mir Freude, und schon ein einziger Brief wäre Lohn genug für die ganze Mühe.

Ich höre nicht auf zu staunen, daß ich täglich etwas Neues über das Phänomen Rauchen lerne. Trotzdem bleiben die grundsätzlichen Gedankengänge dieses Buches gültig. Perfekt ist wohl nie etwas, doch an einem Kapitel würde ich nie etwas ändern, dem Kapitel, das mir am leichtesten von der

Hand ging und das zufällig das Lieblingskapitel der meisten Leser ist: Kapitel 21.

Zusätzlich zu meiner Beratungserfahrung kann ich jetzt auch noch aus fünf Jahren Rückmeldung auf das Buch Nutzen ziehen. Die Änderungen gegenüber der ersten Ausgabe bestanden darin, das, worum es mir geht, genauer und klarer auszudrücken. Dabei hatte ich besonders die Fälle vor Augen, in denen meine Methode versagte, und habe versucht, die Ursachen des Versagens auszumerzen. Bei den meisten dieser Fälle handelt es sich um Jugendliche, die von ihren Eltern gezwungen wurden, mich aufzusuchen, und die selbst keineswegs aufhören wollten zu rauchen. Sogar drei Viertel dieser Raucher kann ich heilen. Gelegentlich ist ein echter »Mißerfolg« darunter, jemand, der den verzweifelten Wunsch hat, das Rauchen aufzugeben, wie der Mann aus Kapitel 25. Das trifft mich tief, und manchmal verbringe ich schlaflose Nächte darüber, mir zu überlegen, wie ich zu diesem Raucher durchdringen könnte. Ich betrachte solche Fehlschläge nicht als Versagen des Rauchers, sondern als mein eigenes, weil es mir nicht gelungen ist, dem Raucher klarzumachen, wie einfach das Aufhören ist, und wieviel Spaß ihm das Leben machen wird, sobald er aus dem Gefängnis ausgebrochen ist. Ich weiß, daß jeder Raucher nicht nur mit Leichtigkeit, sondern auch mit Genuß das Rauchen aufgeben kann, doch manche Menschen sind auf ihrer Denkschiene so eingefahren, daß sie ihre Phantasie nicht mehr in Gang bringen können – die Angst vor dem Aufhören hindert sie daran, sich neuen Gedanken zu öffnen. Sie kommen nie dahinter, daß diese Angst durch Zigaretten ausgelöst wird, und daß der größte Gewinn des Aufhörens in der Befreiung von dieser Angst besteht.

Ich widme die erste Ausgabe dieses Buches den Menschen, die ich nicht heilen konnte. Meine Beratungen führe ich übrigens mit der Garantie durch, daß alle, bei denen der Versuch mißlingt, ihr Geld zurückbekommen.

Im Lauf der Jahre ist meine Methode so manches Mal kritisiert worden, aber ich weiß, daß sie bei jedem Raucher wirkt. Am häufigsten höre ich die Klage: »Bei mir hat Ihre Methode nicht geklappt.«

Die Raucher erzählen mir dann, wie sie vorgegangen sind, wobei mir klar wird, daß sie die Hälfte meiner Anweisungen in den Wind geschlagen haben – und dann nicht begreifen, warum sie immer noch rauchen! Stellen Sie sich vor, Sie irren in einem Labyrinth herum, ohne den Ausgang zu finden. Ich besitze den Plan des Labyrinths und sage Ihnen: »Jetzt biegen Sie nach links, dann nach rechts ab«, usw. Wenn Sie nur einen Richtungshinweis auslassen, werden auch die restlichen Hinweise bedeutungslos, und Sie werden nie aus dem Labyrinth herauskommen. Ursprünglich führte ich Einzelberatungen durch. Nur ganz verzweifelte Raucher suchten mich auf. Man hielt mich für eine Art Quacksalber. Heute gelte ich als der führende Experte der Raucherentwöhnung, und Menschen kommen aus der ganzen Welt zu mir angereist. Ich mache jetzt immer Gruppenberatungen mit acht Rauchern, trotzdem kann ich nicht alle Raucher betreuen, die sich an mich wenden, obwohl ich keine Werbung betreibe. Wenn Sie mich im Telefonbuch suchen, werden Sie keinen Eintrag finden, der etwas mit Rauchen zu tun hat.

Bei so gut wie jeder Sitzung ist ein ehemaliger Alkoholiker oder Heroinsüchtiger anwesend, oder jemand, bei dem mehrere Süchte zusammenkamen. Ich habe meine Methode an Alkoholikern und Heroinsüchtigen ausprobiert und entdeckt, daß sie einfacher zu heilen sind als Raucher, vorausgesetzt, sie haben vorher nicht an einer anderen Gruppe wie den Anonymen Alkoholikern teilgenommen. Die Methode läßt sich bei allen Drogensüchtigen anwenden.

Am meisten beunruhigt mich die Tatsache, wie leicht Ex-Süchtige wieder rückfällig werden, was für Raucher wie für Heroinsüchtige oder Alkoholiker gilt. Die traurigsten Briefe, die ich bekomme, stammen von Rauchern, die dieses Buch gelesen oder sich mit der Hilfe meines Videos von ihrer Sucht befreit haben, aber dann wieder angefangen haben zu rauchen. Erst sind sie so froh über ihre Freiheit, doch dann tappen sie ein zweites Mal in die Falle und merken, daß es das nächste Mal nicht mehr klappt. Mir liegt sehr viel daran, auch dieses Problem zu lösen, diesen Rauchern zu helfen, erneut von ihrer Sucht loszukommen, und die Bezüge zwischen Alkohol, anderen Drogen und dem Rauchen zu klären. Aber ich merke, daß dies ein Thema für ein eigenes Buch ist. Ich arbeite gerade daran.

Die bei weitem häufigste Kritik lautet, daß das Buch ständige Wiederholungen enthalte. Dafür entschuldige ich mich auch nicht. Wie ich im Buch erkläre, besteht das Hauptproblem nicht in der körperlichen Sucht, sondern in der Gehirnwäsche, die sich der Sucht anschließt.

Wie gesagt bekomme ich viel Lob und einiges an Kritik zu hören. In der Anfangszeit wurde ich von den Ärzten mit einiger Skepsis betrachtet, heute sind sie meine eifrigsten Anhänger. Das netteste Kompliment, das ich je bekam, machte mir ein Arzt. Er sagte nur: »Ich wünschte, ich hätte das Buch geschrieben.«

1 | Den unverbesserlichen Raucher
habe ich noch nicht getroffen

Vielleicht sollte ich erst einmal erklären, warum gerade ich mich für befähigt halte, ein solches Buch zu schreiben. Nein, ich bin weder Arzt noch Psychologe; meine Qualifikationen sind viel spezifischer. Ich habe dreiunddreißig Jahre meines Lebens als Kettenraucher verbracht. In den letzten Jahren rauchte ich an schlechten Tagen 100 Zigaretten, jedoch nie weniger als drei Schachteln täglich. Ich hatte Dutzende von Versuchen unternommen, das Rauchen aufzugeben. Einmal habe ich sechs Monate lang nicht geraucht, und ich ging immer noch die Wände hoch, stellte mich immer noch neben Raucher, um ein Tabakwölkchen abzukriegen, stieg im Zug immer noch ins Raucherabteil.

Was den Aspekt Gesundheit anbelangt, sind die meisten Raucher überzeugt, sie würden schon aufhören, »bevors mich trifft«. Ich hatte das Stadium erreicht, wo ich genau wußte, daß ich mich mit meiner Raucherei umbrachte. Ich hatte vom Druck des Dauerhustens chronische Kopfschmerzen. Ich konnte das ständige Pochen in der Vene spüren, die senkrecht in der Stirnmitte verläuft, und glaubte aufrichtig, in meinem Kopf könne jeden Moment etwas explodieren, und ich würde an einer Gehirnblutung sterben. Das setzte mir zwar zu, brachte mich aber nicht so weit, daß ich ernsthaft mit dem Rauchen aufhören wollte.

Ich hatte schon das Stadium erreicht, wo ich es nicht einmal mehr versuchte. Eigentlich verschaffte mir das Rauchen gar keinen Genuß. Die meisten Raucher leiden irgendwann an der Wahnvorstellung, daß ihnen eine Zigarette dann und wann einfach schmeckt, doch das war bei mir nie der Fall. Ich habe den Geschmack und den Geruch immer gehaßt, doch ich bildete mir ein, Zigaretten würden mir helfen, mich zu entspannen und gäben mir Mut und Selbstvertrauen. Bei meinen Versuchen, nicht mehr zu rauchen, fühlte ich mich immer elend, konnte mir nie ein lebenswertes Leben ohne Zigaretten vorstellen.

Schließlich schickte mich meine Frau zu einem Hypnosetherapeuten. Ich muß gestehen, daß ich äußerst skeptisch war, weil ich damals nichts über Hypnose wußte und mir irgendeinen dämonischen Typen mit stechenden, pendelschwingenden Augen vorstellte. Ich machte mir die üblichen Illusionen, die sich Raucher über das Rauchen so machen, außer einer – ich hielt mich nicht für einen willensschwachen Menschen. Alle anderen Dinge im Leben hatte ich unter Kontrolle. Doch mit den Zigaretten war es umgekehrt. Ich glaubte, Hypnose hätte etwas mit dem Aufzwingen von Motivationen zu tun, und obwohl ich mich nicht sperrte (wie die meisten Raucher wollte ich dringend aufhören), dachte ich, daß keiner mir einreden könnte, ich bräuchte eigentlich gar nicht zu rauchen. Die ganze Sitzung kam mir vor wie reine Zeitverschwendung. Der Hypnosetherapeut versuchte, mich dazu zu bringen, meine Arme zu heben und verschiedene andere Dinge auszuführen. Nichts schien richtig zu klappen. Ich verlor nicht das Bewußtsein. Ich verfiel nicht in Trance oder glaubte es wenigstens nicht, und trotzdem hörte ich nach dieser Sitzung nicht nur auf zu rauchen, sondern genoß auch noch den Entwöhnungsvorgang, sogar während der Entzugsperiode.

Bevor Sie jetzt losstürzen und einen Hypnosetherapeuten aufsuchen, lassen Sie mich eines klarstellen. Hypnosetherapie ist ein Mittel der Kommunikation; wird Ihnen dabei das Falsche mitgeteilt, werden Sie nicht aufhören zu rauchen. Ich übe nur sehr ungern Kritik an dem Mann, den ich aufgesucht habe, denn ich wäre inzwischen längst tot, wenn ich nicht hingegangen wäre. Aber wenn ich das Rauchen aufgegeben habe, dann trotz, nicht wegen seiner Bemühungen. Ich möchte auch nicht den Anschein erwecken, ich wollte die Hypnosetherapie heruntermachen; im Gegenteil, ich nutze sie bei meinen eigenen Beratungen. Ihre Suggestivwirkung und machtvolle Kraft läßt sich zum Guten wie zum Schlechten einsetzen. Suchen Sie nie einen Hypnosetherapeuten auf, der Ihnen nicht persönlich von jemand empfohlen wurde, dem Sie Respekt und Vertrauen entgegenbringen.

In diesen entsetzlichen Raucherjahren glaubte ich, mein Leben hinge an den Zigaretten, und ich wollte lieber sterben als darauf verzichten. Heute werde ich oft gefragt, ob mich nicht manchmal der alte Drang wieder überkommt. Die Antwort lautet: Niemals, niemals, niemals – ganz im Gegenteil. Mein Leben war wunderbar. Hätte mich das Rauchen umgebracht, ich hätte mich trotzdem nicht beklagen können. Ich hatte sehr viel Glück im Leben, doch das Wunderbarste, was mir je zugestoßen ist, war die Befreiung von diesem Alptraum, von dieser Sklaverei, lebenslang systematisch den eigenen Körper zerstören und für dieses Privileg auch noch teuer bezahlen zu müssen.

Eines möchte ich von Anfang an klarstellen: Ich habe keinen Hang zur Mystik. Ich glaube nicht an Zauberer und Feen. Ich habe einen analytischen Verstand und könnte nichts nachvollziehen, was mir wie fauler Zauber vorkommt. Ich begann, wissenschaftliche Untersuchungen über Hypnose und Rauchen zu lesen. Nichts, was ich las, schien eine Erklärung für das Wunder liefern zu können, das sich ereignet hatte. Warum war das Aufhören so lächerlich einfach gewesen, während ich zuvor wochenlang an den schlimmsten Depressionen gelitten hatte?

Ich brauchte lange, bis ich der Sache auf den Grund gekommen war, vor allem deswegen, weil ich das Pferd von hinten aufzäumte. Ich versuchte herauszufinden, warum das Aufhören so einfach gewesen war, während das Problem in Wirklichkeit darin bestand, warum Raucher das Aufhören so *schwierig* finden. Raucher reden über die schrecklichen Entzugserscheinungen, aber wenn ich zurückblickte und mich an diese Schrecken zu erinnern versuchte, gab es sie für mich einfach nicht. Ich hatte keinerlei körperliche Schmerzen. Alles spielte sich im Kopf ab.

Meine Vollzeitbeschäftigung besteht heute darin, anderen Menschen dabei zu helfen, die Zwangsjacke ihrer Gewohnheit abzustreifen. Ich bin dabei sehr, sehr erfolgreich. Mit meiner Hilfe wurden Tausende von Rauchern geheilt. Eines möchte ich von Anfang an betonen: Den unverbesserlichen Raucher gibt es nicht. Ich bin immer noch niemandem begegnet, der vom Rauchen derart abhängig war wie ich (oder sich zumindest *einbildete*, derart abhängig zu sein). Jeder kann nicht nur aufhören zu rauchen, sondern das auch noch mit Leichtigkeit tun. Im Grunde ist es Angst, die uns weiterrauchen läßt, die Angst, daß das Leben ohne Zigaretten nie mehr so lebenswert sein wird, die Angst, daß man am Gefühl der Entbehrung wird leiden müssen. Nichts liegt der Wahrheit ferner. Das Leben ist »ohne« nicht nur genauso lebenswert, sondern macht in vieler Hinsicht unendlich mehr Spaß, wobei das Mehr an Gesundheit, Energie und Geld noch die geringsten Vorzüge sind. Allen Rauchern kann es leichtfallen, das Rauchen aufzugeben – sogar Ihnen! Sie brauchen nur den Rest dieses Buches mit geistiger Offenheit zu lesen. Je mehr Sie davon begreifen, desto leichter wird es Ihnen fallen. Sogar wenn Sie kein Wort davon verstehen und sich nur strikt nach den Anweisungen richten, wird es Ihnen leichtfallen. Das Wichtigste: Sie werden sich nicht durchs Leben schleppen und ständig den Zigaretten nachtrauern oder an Verlustgefühlen leiden. Schleierhaft wird Ihnen lediglich vorkommen, warum Sie so lange geraucht haben.

Doch zuvor möchte ich eine Warnung aussprechen. Es gibt nur zwei Gründe, die meine Methode zum Scheitern bringen können:

1. **Wenn Sie von meinen Anweisungen abweichen.** Manche Menschen finden es lästig, daß ich so stur auf bestimmten Empfehlungen beharre. Zum Beispiel werde ich Sie auffordern, keinerlei Versuche zu machen, das Rauchen einzuschränken, oder einen Ersatz zu Hilfe zu nehmen, zum Beispiel Süßigkeiten, Kaugummi usw. (vor allem, wenn dieser Ersatz Nikotin enthält). Ich bin in diesem Punkt so dogmatisch, weil ich mich auf diesem Gebiet wirklich auskenne. Ich will nicht abstreiten, daß es viele Menschen gibt, die mit solchen Tricks das Rauchen wirklich aufgeben konnten, doch sie haben es trotz, nicht wegen dieser Tricks geschafft. Es gibt Leute, die in einer Hängematte stehend Liebe machen können, doch das ist nicht die einfachste Methode. Alles, was ich Ihnen sage, hat einen Sinn: Ihnen das Aufhören zu erleichtern und dadurch den Erfolg sicherzustellen.

2. **Wenn es Ihnen an Verständnis mangelt.** Halten Sie nichts für selbstverständlich. Hinterfragen Sie nicht nur, was ich Ihnen erzähle, sondern auch Ihre eigenen Ansichten, und was die Gesellschaft Ihnen übers Rauchen beigebracht hat. Alle zum Beispiel, die das Rauchen lediglich für eine schlechte Angewohnheit halten, sollten sich fragen, warum sie andere Gewohnheiten, auch angenehme, leicht bleiben lassen können, während es so schwierig ist, sich etwas abzugewöhnen, das scheußlich schmeckt, ein Vermögen kostet und uns umbringt.

Wer glaubt, eine Zigarette sei für ihn ein Genuß, sollte sich fragen, warum er andere Dinge im Leben, die unendlich genußvoller sind, tun oder bleiben lassen kann. Warum *müssen* Sie sich eine anzünden, und warum überfällt Sie die Panik, wenn Sie es nicht tun?

2 | Die einfache Methode

Ziel dieses Buchs ist es, Ihnen eine innere Einstellung zu vermitteln, die es Ihnen erlaubt, vom ersten Moment an in Hochstimmung loszulegen, als wären Sie gerade von einer furchtbaren Krankheit geheilt worden – im Gegensatz zu den üblichen Methoden, bei denen Sie mit dem Gefühl anfangen, Sie müßten den Mount Everest besteigen und die nächsten Wochen damit verbringen, nach Zigaretten zu gieren und alle anderen Raucher zu beneiden. Mit der Zeit werden Sie sich beim Gedanken an Zigaretten nur noch wundern. Wie konnten Sie dieses Zeugs jemals rauchen? Sie werden Raucher mit Mitleid anstatt mit Neid betrachten.

Sie sollten unbedingt erst dann aufhören zu rauchen, wenn Sie dieses Buch bis zum Ende durchgelesen haben. Das kommt Ihnen vielleicht paradox vor. Später werde ich Ihnen erklären, daß Zigaretten absolut nichts für Sie tun. Eines der vielen Rätsel ums Rauchen ist, daß wir, wenn wir gerade eine Zigarette rauchen, sie betrachten und uns fragen können, warum wir sie eigentlich rauchen. Zigaretten werden erst kostbar, wenn wir keine haben. Doch nehmen wir einfach an, daß Sie sich für nikotinsüchtig halten, ob es Ihnen gefällt oder nicht. Wenn Sie von Ihrer Süchtigkeit überzeugt sind, können Sie sich nie völlig entspannen oder konzentrieren, ohne zu rauchen. Also versuchen Sie nicht, das Rauchen aufzugeben, bevor Sie das ganze Buch fertiggelesen haben. Beim Lesen wird Ihr Drang zu rauchen allmählich abnehmen. Aber starten Sie nicht, wenn Sie erst halb überzeugt sind, das könnte fatal enden. Vergessen Sie nicht: Sie brauchen sich nur an meine Anweisungen zu halten.

Wenn ich jetzt auf die fünf Jahre Rückmeldung seit der Erstausgabe dieses Buches zurückblicke, kann ich sagen, daß diese Anweisung, bis zur Beendigung der Lektüre weiterzurauchen, mir mehr Frust als alles andere eingebracht hat, einmal abgesehen vom Kapitel achtundzwanzig, »Der richtige Zeitpunkt«. Als ich mit dem Rauchen aufhörte, hörten auch viele meiner Verwandten und Freunde auf, rein deswegen, weil ich es getan hatte. Sie dachten: »Wenn der es schafft, schafft es jeder.« Im Lauf der Jahre ließ ich bei denjenigen, die nicht aufgehört hatten, immer wieder kleine Bemerkungen fallen, wie schön das Leben in Freiheit sei! Als dann dieses Buch erschien, schenkte ich es dem harten Kern, der immer noch weiterpaffte. Ich nahm an, selbst wenn es das langweiligste Buch wäre, das je geschrieben wurde, würden sie es lesen, weil es ein Freund geschrieben hat. Als ich Monate später erfuhr, daß sie sich gar nicht die Mühe gemacht hatten, es zu Ende zu lesen, war ich überrascht und verletzt. Ich entdeckte sogar, daß mein damaliger bester Freund, dem ich eine signierte Originalausgabe geschenkt hate, das Buch nicht nur nicht gelesen, sondern einfach weiterverschenkt hatte. Damals war ich verletzt, doch hatte ich die schreckliche Angst nicht berücksichtigt, die die Nikotinsucht einem Raucher einjagt. Diese Angst kann stärker sein als jede Freundschaft. Sie hätte fast zu einer Scheidung geführt. Meine Mutter fragte meine Frau einmal: »Warum drohst du ihm nicht, daß du ihn verläßt, wenn er nicht aufhört zu rauchen?« Meine Frau antwortete: »Weil er mich dann verlassen würde.« Ich schäme mich, es zuzugeben, aber ich glaube, daß sie recht hatte, so groß ist die Angst, die das Rauchen in einem Menschen erzeugt. Mir ist jetzt klar, daß viele Raucher das Buch deshalb nicht zu Ende lesen, weil sie merken, daß sie das Rauchen aufgeben müssen, wenn sie es tun. Manche lesen bewußt nur eine Zeile täglich, um den verhängnisvollen Tag hinauszuschieben. Mir ist jetzt klar, daß viele Leser von geliebten Menschen unter Druck gesetzt werden, das Buch zu lesen. Betrachten Sie es einmal so: Was haben Sie denn zu verlieren? Sollten Sie nach der Lektüre dieses Buches nicht aufhören zu rauchen, sind Sie nicht schlechter dran als jetzt. **Sie haben absolut nichts zu verlieren, aber alles zu gewinnen!** Falls Sie übrigens seit ein paar Tagen oder Wochen nicht mehr rauchen, aber nicht sicher sind, ob Sie ein Raucher, Ex-Raucher oder Nichtraucher sind, dann lassen Sie beim Lesen dieses Buchs das Rauchen bleiben. Sie sind dann praktisch schon ein Nichtraucher. Es geht jetzt nur noch darum, daß Ihr Überbau den Unterbau einholt. Am Ende des Buches werden Sie ein glücklicher Nichtraucher sein.

Meine Methode ist grundsätzlich das vollkommene Gegenteil der hergebrachten Methoden der Raucherentwöhnung. Die *Normalmethode* besteht darin, die beträchtlichen Nachteile des Rauchens aufzulisten und zu sagen: »Wenn ich nur lange genug auf Zigaretten verzichte, wird schließlich der Drang zu rauchen verschwinden. Dann kann ich das Leben wieder genießen und bin nicht mehr ein Sklave des Tabaks.«

Das ist die logische Methode, und täglich versuchen Tausende von Rauchern mit einer Abart dieser Methode, das Rauchen aufzugeben. Allerdings ist es sehr schwierig, diese Methode erfolgreich durchzuziehen, und zwar aus folgenden Gründen:

1. Das eigentliche Problem besteht nicht darin, mit dem Rauchen aufzuhören. Jedesmal, wenn Sie eine Zigarette ausdrücken, hören Sie mit dem Rauchen auf. Am Tag eins haben Sie vielleicht zwingende Gründe, um zu sagen: »Ich will nicht mehr rauchen« – alle Raucher haben an jedem Tag ihres Lebens solche Gründe, und die Gründe sind zwingender, als Sie sich vorstellen können. Das wirkliche Problem besteht in Tag zwei, Tag zehn oder Tag zehntausend, wenn Sie in einem schwachen Moment, einem beschwipsten Moment oder sogar in einem starken Moment eine Zigarette rauchen, und weil Drogenabhängigkeit mit ins Spiel kommt, werden Sie den Wunsch nach einer zweiten Zigarette verspüren, und plötzlich rauchen Sie wieder.

2. Die Gefahren für unsere Gesundheit sollten uns vom Rauchen abbringen. Unsere Vernunft sagt: »Hör auf damit. Du bist ein Dummkopf«, aber in Wirklichkeit macht sie es uns damit schwerer. Wir rauchen zum Beispiel, wenn wir nervös sind. Erzählen Sie einem Raucher, daß er auf dem besten Wege ist, sich umzubringen, und das erste, was er tun wird, ist, nach einer Zigarette zu greifen. Vor dem Royal Marsden Hospital, der führenden Krebsklinik Englands, stehen mehr Raucher herum als vor jeder anderen Klinik des Landes.

Meine einfache Methode besteht im Grunde darin: Vergessen Sie erst einmal alle Gründe, warum Sie aufhören wollen, blicken Sie Ihrem Zigarettenproblem ins Auge und stellen Sie sich folgende Fragen:

1. Was bringt mir das Rauchen?
2. Genieße ich es wirklich?
3. Besteht für mich wirklich die Notwendigkeit, mir le-

benslang diese Dinger in den Mund zu stecken, mich damit zu ersticken und auch noch teuer dafür zu bezahlen?

Die angenehme Wahrheit ist, daß Ihnen das Rauchen absolut überhaupt nichts bringt. Lassen Sie mich das ganz klarstellen: Ich meine nicht, daß die Nachteile des Rauchens die Vorzüge überwiegen – das weiß doch jeder Raucher. Ich meine, daß das Rauchen *überhaupt nichts* bringt. Der einzige Vorzug, den es je besaß, war ein gesellschaftlicher Pluspunkt; heute betrachten sogar Raucher das Rauchen als unsoziales Verhalten. Die meisten Raucher halten es für notwendig, rational zu erklären, warum sie rauchen, doch diese Gründe sind alle Täuschungen und Illusionen. Als erstes werden wir mit diesen Täuschungen und Illusionen aufräumen. Sie werden merken, daß Sie in Wirklichkeit nichts aufzugeben haben. Nicht nur gibt es nichts, was Sie aufgeben müssen, sondern Sie werden als Nichtraucher auch noch mit wunderbaren, positiven Dingen beschenkt werden, von denen Gesundheit und Geld nur zwei sind. Sobald einmal die Illusion verfliegt, das Leben ohne Zigaretten sei nicht mehr ganz so genußreich, sobald Ihnen bewußt wird, daß das Leben »ohne« nicht nur genauso genußreich, sondern sogar noch viel genußreicher ist, sobald dem Gefühl, etwas zu entbehren oder zu verpassen, der Boden entzogen ist, können wir auf die Gesundheit und das ersparte Geld zurückkommen – und auf die Dutzende weiterer guter Gründe, das Rauchen aufzugeben. Diese Erkenntnisse werden zu zusätzlichen positiven Hilfen, die Sie beim Erreichen Ihrer wirklichen Ziele untersützen werden: Ihr Leben in seiner Gänze zu genießen, nachdem Sie sich vom Tabak befreit haben.

3 | Warum ist das Aufhören so schwierig?

Wie ich bereits erklärt habe, lenkte meine eigene Abhängigkeit mein Interesse auf dieses Thema. Als ich schließlich aufhörte, war es wie ein Wunder. Bei meinen früheren Versuchen, das Rauchen aufzugeben, litt ich wochenlang an schweren Depressionen. Ab und zu war ich relativ fröhlich, doch am nächsten Tag schlug die Depression wieder zu. Es war wie ein Versuch, aus einer schlüpfrigen Fallgrube zu klettern; man ist fast oben, sieht schon die Sonne, doch dann rutscht man wieder hinunter. Schließlich zündet man die berühmte Zigarette wieder an; sie schmeckt scheußlich und man zermartert sich das Hirn, warum man es tun muß.

Eine der Fragen, die ich den Rauchern vor meinen Beratungen immer stelle, lautet: »Wollen Sie aufhören zu rauchen?« Irgendwo ist das eine blöde Frage. Alle Raucher würden liebend gern aufhören zu rauchen. Wenn man den unverbesserlichsten Raucher fragt: »Wenn Sie die Zeit zurückdrehen könnten bis zu dem Zeitpunkt, als Sie noch nicht nikotinsüchtig waren, würden Sie dann bei Ihrem heutigen Wissensstand anfangen zu rauchen?«, lautet meistens die Antwort: »Nie im Leben«.

Alle Raucher spüren, daß sie von etwas Teuflischem besessen sind. In den Anfangsstadien redet man sich noch ein: »Ich höre wieder auf, nicht heute, aber morgen.« Schließlich erreichen wir den Punkt, wo wir denken, wir besäßen entweder nicht genug Willenskraft, oder aber die Zigaretten enthielten etwas, was wir haben müßten, um das Leben zu genießen.

Wie ich vorher schon sagte, besteht das Problem nicht darin, zu verdeutlichen, warum das Aufhören so einfach ist;

vielmehr ist zu erklären, warum es so schwierig ist. Es muß eine Erklärung dafür gefunden werden, warum so viele Menschen überhaupt mit dem Rauchen anfangen, oder warum einmal über 60 Prozent der Bevölkerung geraucht haben.

Die ganze Sache mit der Raucherei ist außerordentlich rätselhaft. Der einzige Grund, warum wir einsteigen, sind die Tausende, die schon drin sind. Und doch wünscht sich jeder einzelne von ihnen, er oder sie hätte überhaupt nicht damit angefangen, und erzählt uns, es sei reine Zeit- und Geldverschwendung. Wir können nicht ganz glauben, daß sie es nicht genießen. Wir halten das Rauchen für ein Zeichen des Erwachsenseins und geben uns alle Mühe, abhängig zu werden. Dann verbringen wir den Rest unseres Lebens damit, unseren eigenen Kindern einzubläuen, bloß nicht damit anzufangen, und versuchen selbst, es uns wieder abzugewöhnen. Auch verbringen wir den Rest unseres Lebens damit, teuer für unsere Qual zu bezahlen. Ein durchschnittlicher Raucher, der auf ein Päckchen am Tag kommt, gibt in seinem Leben etwa 90 000 DM für Zigaretten aus. Was machen wir mit diesem Geld? (Es wäre nicht so schlimm, es zum Fenster hinauszuwerfen.) Wir benutzen es systematisch, um unsere Lungen mit krebserregenden Teerstoffen zu verklumpen und unsere Blutgefäße allmählich zu verstopfen und zu vergiften. Jeden Tag entziehen wir jedem Muskel und jedem Organ unseres Körpers mehr Sauerstoff, so daß wir von Tag zu Tag träger werden. Wir verurteilen uns selbst zu einem Leben im Schmutz, zu schlechtem Atem, gelben Zähnen, Brandflecken, dreckigen Aschenbechern und dem widerlichen Gestank abgestandenen Rauchs. Das heißt: Sklaverei ein Leben lang. Unser halbes Leben sind wir in Situationen, in denen uns die Gesellschaft das Rauchen verbietet (in Schulen, U-Bahnen, im Theater, im Krankenhaus, in der Kirche usw.); bei jedem Versuch, das Rauchen einzuschränken oder aufzugeben, fühlen wir uns elend. Die andere Hälfte unseres Lebens dürfen wir zwar rauchen, wünschen uns aber, wir müßten es nicht. Was für ein Hobby ist denn das, das man liebend gern an den Nagel hängen würde, nach dem man aber giert, falls man es wirklich unterlassen muß? Sein Leben lang wird man von der Hälfte der Gesellschaft wie eine Art Aussätziger behandelt; schlimmer noch: Ein sonst intelligentes, vernunftbegabtes menschliches Wesen straft sich ein Leben lang mit Selbstverachtung. Der Raucher hat nur Verachtung für sich übrig, wenn er unachtsamerweise wieder einmal den kleingedruckten Warnhinweis liest, wenn eine Kampagne gegen Krebs oder Mundgeruch läuft, wenn er Atemschwierigkeiten oder Schmerzen in der Brust hat, wenn er der einsame Raucher in einer Gruppe von Nichtrauchern ist. Was hat er nun davon, daß er mit diesen schrecklichen schwarzen Schatten im Hinterkopf durchs Leben gehen muß? ABSOLUT NICHTS! Vergnügen? Genuß? Entspannung? Eine Hilfe? Eine Energiespritze? Lauter Illusionen, außer Sie betrachten das Tragen von zu engen Schuhen als eine Art Vergnügen, weil es immer so angenehm ist, wenn Sie sie ausziehen! Wie gesagt besteht das wirkliche Problem nicht nur darin, herauszufinden, warum Raucher solche Schwierigkeiten haben, aufzuhören, sondern auch, warum überhaupt jemand raucht.

Wahrscheinlich sagen Sie: »Alles schön und gut. Ich weiß das, aber wenn Sie mal am Glimmstengel hängen, ist es sehr schwer, wieder davon loszukommen.« Aber warum ist es denn so schwer, und warum müssen wir überhaupt rauchen? Raucher suchen ihr Leben lang nach der Antwort auf diese Fragen.

Manche fürchten sich vor den heftigen Entzugserscheinungen. Doch die wirklichen Entzugserscheinungen bei der Nikotinentwöhnung sind so schwach (siehe Kapitel 6), daß den meisten Rauchern nie bewußt wird, daß sie Drogenabhängige sind.

Manche sind der Ansicht, Zigaretten böten einen intensiven Genuß. Das tun sie nicht. Sie sind schmutzige, ekelhafte Dinger. Fragen Sie doch einen x-beliebigen Raucher, der sich einbildet, er rauche nur wegen des Genusses, ob er auf das Rauchen verzichtet, wenn ihm seine eigenen Zigaretten ausgegangen sind und er nur eine Marke kaufen kann, die ihm überhaupt nicht schmeckt. Raucher würden lieber alte Hanfseile rauchen als überhaupt nichts.

Genuß hat damit nichts zu tun. Mir schmeckt Hummer, aber ich habe nie das Stadium erreicht, daß ich täglich zwanzig Hummer hätte verspeisen müssen.

Andere Dinge im Leben genießen wir, sitzen aber nicht mit einem Gefühl des Elends herum, wenn sie gerade nicht verfügbar sind.

Manche graben tief in der Psyche nach Gründen, nach dem »Freudschen Syndrom«, dem »Kind an der Mutterbrust«. Doch in Wirklichkeit ist es gerade umgekehrt: Wir fangen doch üblicherweise an zu rauchen, weil wir zeigen wollen, daß wir erwachsen und reif sind. Wenn wir vor allen Leuten an einem Schnuller nuckeln müßten, wäre uns das unerträglich peinlich.

Manche glauben, es sei im Gegenteil das Macho-Gefühl, Rauch oder Feuer aus den Nüstern zu blasen. Auch dieses Argument hält nicht stand. Eine brennende Zigarette im Ohr wäre lächerlich. Wieviel lächerlicher ist es, krebserregende Teerstoffe in seine Lungen einzuatmen.

Manche sagen: »Es hat etwas mit meinen Händen zu tun!« Warum sollte man sich die Zigarette dann anzünden?

»Es ist eine orale Befriedigung.« Warum dann anzünden?

»Es ist das Gefühl, wie der Rauch meine Lungen füllt.« Ein gräßliches Gefühl – man bezeichnet es als Ersticken.

Viele glauben, Rauchen helfe gegen Langeweile. Auch das ist ein Irrtum. Langeweile ist ein geistiger Zustand.

Dreiunddreißig Jahre lang glaubte ich, daß mich das Rauchen entspannte, mir Selbstvertrauen und Mut gab. Gleichzeitig wußte ich, daß es mich umbrachte und ein Vermögen kostete. Warum ging ich nicht zu meinem Arzt und fragte ihn nach einer Alternative, die mir Entspannung, Selbstvertrauen und Mut geben würde? Ich tat es nicht, weil ich wußte, daß er mir eine Alternative vorschlagen würde. Es war nicht mein wirklicher Grund, es war nur eine Ausrede.

Manche sagen, sie rauchen nur, weil ihre Freunde rauchen. Sind sie wirklich so dumm?

Die meisten Raucher, die sich darüber Gedanken machen, kommen irgendwann zu dem Schluß, das Rauchen sei nur so eine Gewohnheit. Auch das ist keine wirkliche Erklärung, doch nachdem alle üblichen rationalen Begründungen verworfen werden mußten, scheint es die einzige Entschuldigung, die noch übrig bleibt. Leider ist auch dieser Schluß ein Trugschluß. Täglich ändern wir unsere Gewohnheiten, darunter auch sehr genußbringende. Meine Eßgewohnheiten stammen noch aus meinen Rauchertagen. Ich esse weder morgens noch mittags; ich nehme nur eine Mahlzeit am Tag zu mir, und die am Abend. Doch im Urlaub ist das Frühstück meine Lieblingsmahlzeit. An dem Tag, an dem ich wieder heimkomme, nehme ich ohne die geringste Anstrengung meine normale Gewohnheit wieder auf.

Warum hängen wir an einer Gewohnheit, die schrecklich schmeckt, uns umbringt, uns ein Vermögen kostet, schmutzig und ekelhaft ist und die wir liebend gern ablegen würden, wenn alles, was wir tun müßten, darin bestünde, sie einfach bleiben zu lassen? Warum ist das so schwer? Die Antwort lautet: Es ist nicht schwer. Es ist lächerlich einfach. Sobald Sie die wirklichen Gründe begreifen, warum Sie rauchen, werden

Sie damit aufhören – einfach so. Und in spätestens drei Wochen werden Sie sich nur noch wundern, warum Sie überhaupt so lange geraucht haben.

Lesen Sie weiter.

4 | Die gemeine Falle

Rauchen ist die raffinierteste, gemeinste Falle, die es gibt. Man könnte sich so etwas Geniales gar nicht ausdenken. Was lockt uns anfangs hinein? Tausende von Erwachsenen, die bereits drinnen stecken. Sie warnen uns sogar, das Rauchen sei eine schmutzige, ekelhafte Gewohnheit, die uns schließlich zerstören und arm machen wird, aber wir können nicht glauben, daß sie keinen Genuß davon haben. Einer der vielen tragikomischen Aspekte des Rauchens ist, wie hart wir daran arbeiten müssen, bis wir süchtig sind. Es ist die einzige Falle ohne Köder, ohne Käsestückchen. Was die Klappe heruntersausen läßt, ist nicht, daß Zigaretten so köstlich schmecken, sondern daß sie so grauenhaft schmecken. Würde die erste Zigarette köstlich schmecken, dann würde die Alarmglocke schrillen, und als intelligente Menschen könnten wir verstehen, warum sich die Hälfte der Erwachsenen selbst vergiftet. Doch weil die erste Zigarette grauenhaft schmeckt, wiegt sich unser junges Hirn in Sicherheit, daß wir nie davon abhängig werden, und wir glauben, daß wir jederzeit aufhören können, weil Zigaretten für uns gar kein Genuß sind.

Es ist die einzige Droge in der Natur, die einen davon abhält, sein Ziel zu erreichen. Junge Männer fangen meist an, weil sie männlich stark wirken wollen – sich ein Humphrey Bogart/Clint Eastwood-Image überstülpen wollen. Das letzte, wie man sich bei der ersten Zigarette fühlt, ist männlich stark. Man wagt nicht zu inhalieren, und wenn man zuviel raucht, wird einem erst schwindlig, dann schlecht. Man will sich nur noch von den anderen Jungs abseilen und die dreckigen Dinger wegschmeißen.

Mädchen wollen die welterfahrene, coole junge Frau spielen. Wir haben alle gesehen, wie sie ihre Zigaretten paffen und dabei absolut lächerlich aussehen. Wenn die Jungs erst einmal gelernt haben, männlich stark auszusehen, und die Mädchen, cool und erfahren, wünschen sie sich, sie hätten nie mit der Raucherei angefangen.

Dann versuchen wir unser restliches Leben lang, uns zu erklären, warum wir rauchen, schärfen unseren Kindern ein, nicht in die Falle zu tappen, und versuchen selbst gelegentlich, wieder herauszukommen.

Die Falle ist so geartet, daß wir nur in Streßsituationen versuchen, uns das Rauchen abzugewöhnen, ob wir nun an gesundheitlichen Problemen, an Geldknappheit oder einfach am Gefühl leiden, wie ein Aussätziger behandelt zu werden.

Sobald wir aufhören, kommt noch mehr Streß auf uns zu (die gefürchteten Entzugserscheinungen), und jetzt müssen wir auch noch ohne das Mittel auskommen, das uns bisher immer unseren Streß erleichtert hat (unsere alte Krücke, die Zigarette).

Nach ein paar qualvollen Tagen gelangen wir zu dem Schluß, wir hätten den falschen Zeitpunkt gewählt. Wir müssen auf einen streßfreien Moment warten, doch sobald er kommt, verschwindet auch der Grund, warum wir aufhören sollten. Natürlich wird dieser Zeitpunkt nie kommen, weil wir ohnehin davon überzeugt sind, daß unser Leben immer stressiger wird. Wenn wir unser Elternhaus verlassen, ist der natürliche Ablauf der Dinge das Gründen eines Haushalts, Hypotheken, Kinder, verantwortungsvollere berufliche Aufgaben usw. Auch das ist ein Irrtum. In Wahrheit sind die streßreichsten Abschnitte für jedes Lebewesen die frühe Kindheit und die Pubertät. Wir neigen dazu, Verantwortung mit Streß zu verwechseln. Raucher erleben automatisch mehr Streß, weil das Nikotin mitnichten entspannt oder Streß lindert, wie es die Werbung einem einreden will. Ganz im Gegenteil: Rauchen macht sogar noch nervöser und angespannter.

Sogar die Raucher, die sich das Rauchen abgewöhnen (die meisten tun das einmal oder öfter in ihrem Leben), können vollkommen glücklich und zufrieden dahinleben und trotzdem plötzlich wieder der Sucht verfallen.

Das Rauchen läßt sich damit vergleichen, daß man irgendwie in ein riesiges Labyrinth gerät. Sobald wir drinnen sind, vernebeln und verwirren sich unsere Gedanken, und wir verbringen den Rest des Lebens mit dem Versuch, wieder herauszufinden. Vielen von uns gelingt das schließlich auch, doch später tappen wir noch einmal in dieselbe Falle hinein.

Ich habe dreiunddreißig Jahre damit verbracht, in dem Labyrinth auf der Suche nach dem Ausgang herumzuirren. Wie alle Raucher blickte ich einfach nicht durch. Dank eines Zusammentreffens ungewöhnlicher Umstände jedoch, von denen keiner mein Verdienst ist, gelang mir die Flucht. Dann wollte ich wissen, warum ich es so ungeheuer schwierig fand, mit dem Rauchen aufzuhören, und warum es, als ich es endlich schaffte, nicht nur einfach war, sondern auch noch Spaß machte.

Seit ich das Rauchen aufgegeben habe, war es mein Hobby und später mein Beruf, den vielen Rätseln, vor die uns das Rauchen stellt, auf die Spur zu kommen. Es ist ein verzwicktes, faszinierendes Puzzle und praktisch unlösbar wie der Rubik-Würfel. Doch wie bei allen komplizierten Geduldsspielen ist die Lösung ganz einfach – wenn man sie kennt.

Ich werde Sie aus dem Labyrinth herausführen und dafür sorgen, daß Sie nie wieder hineingeraten. Alles, was Sie tun müssen, ist, *meine Anweisungen zu befolgen*. Wenn Sie nur einmal den falschen Weg einschlagen, sind alle weiteren Anweisungen sinnlos.

Ich möchte noch einmal ausdrücklich betonen, daß es für jeden Menschen einfach sein kann, sich das Rauchen abzugewöhnen; doch zuerst müssen wir die Fakten auf den Tisch legen. Nein, ich meine nicht die Fakten, die uns Angst und Schrecken einjagen. Ich weiß, daß Sie die schon kennen. Es gibt schon genügend Informationen über die schlimmen Folgen des Rauchens. Wenn das Sie vom Rauchen abhalten könnte, hätten Sie bereits damit aufgehört. Ich meine, warum finden wir das Aufhören so schwierig? Um diese Frage zu beantworten, müssen wir den wirklichen Grund erfahren, warum wir immer noch rauchen.

5 | Warum rauchen wir weiter?

Wir fangen alle aus idiotischen Gründen an zu rauchen, meist unter Gruppenzwang oder in Gesellschaft, doch warum rauchen wir weiter, wenn wir merken, daß wir abhängig geworden sind?

Der Durchschnittsraucher hat keine Ahnung, warum er raucht. Wäre ihm der wahre Grund bekannt, würde er aufhören. Ich habe in meinen Beratungen Tausenden von Rauchern diese Frage gestellt. Der echte Grund ist bei allen derselbe, doch die Antworten sind unendlich vielfältig. Diesen Teil meiner Beratung finde ich am amüsantesten, gleichzeitig aber auch am mitleiderregendsten. Alle Raucher wissen im

Grunde ihres Herzens, daß sie Trottel sind. Sie wissen, daß vor dem Beginn ihrer Sucht keinerlei Notwendigkeit bestand, daß sie rauchten. Die meisten können sich erinnern, wie schrecklich ihre erste Zigarette schmeckte, und daß sie sich große Mühe geben mußten, um sich zum Raucher emporzuarbeiten. Am meisten irritiert sie, daß Nichtraucher anscheinend nichts vermissen und sich über sie lustig machen.

Dennoch sind Raucher intelligente, vernunftbegabte Menschen. Sie wissen, daß sie gewaltige gesundheitliche Risiken auf sich nehmen, und daß sie für ihre Zigaretten im Laufe ihres Lebens ein Vermögen ausgeben. Daher brauchen sie rationale Erklärungen, mit denen sie ihre Gewohnheit rechtfertigen können.

Der tatsächliche Grund, warum Raucher immer weiterrauchen, ist eine raffinierte Kombination der Faktoren, die ich in den nächsten beiden Kapiteln darlegen werde. Sie lauten:

1. **Nikotinsucht**
2. **Gehirnwäsche**

6 | Nikotinsucht

Nikotin, eine farblose, ölige Verbindung, ist die im Tabak enthaltene Droge, die den Raucher süchtig macht. Sie erzeugt Abhängigkeit rascher als jede andere der Menschheit bekannte Droge, manchmal reicht dazu schon eine einzige Zigarette.

Jeder Zug an einer Zigarette transportiert eine kleine Dosis Nikotin über die Lungen ins Gehirn, und diese Dosis wirkt rascher als das Heroin, das sich der Junkie in die Venen spritzt. Wenn man an einer Zigarette zwanzig Mal ziehen kann, erhält man also schon von einer einzigen Zigarette zwanzig Ladungen der Droge.

Nikotin ist eine rasch wirkende Droge, und der Nikotinspiegel im Blut fällt dreißig Minuten nach dem Rauchen einer Zigarette um etwa die Hälfte, nach einer Stunde auf ein Viertel ab. Das erklärt, warum die meisten Raucher etwa zwanzig Zigaretten am Tag rauchen.

Sobald der Raucher seine Zigarette ausdrückt, beginnt das Nikotin rasch den Körper zu verlassen, und der Raucher beginnt, an Entzugserscheinungen zu leiden.

An dieser Stelle muß ich mit der weit verbreiteten falschen Meinung aufräumen, die Raucher über Entzugserscheinungen haben. Sie glauben, die Entzugserscheinungen seien gleichzusetzen mit dem schrecklichen Trauma, an dem sie leiden, wenn sie versuchen oder gezwungen werden, das Rauchen zu unterlassen. Dieses Trauma hat jedoch vor allem psychische Ursachen: Der Raucher fühlt sich seines Vergnügens oder seines Halts beraubt. Das werde ich später näher erklären.

Die tatsächlichen Entzugserscheinungen bei der Nikotinentwöhnung sind so schwach, daß den meisten Rauchern nie bewußt wird, daß sie tatsächlich drogensüchtig sind. Wenn wir den Ausdruck »nikotinsüchtig« verwenden, meinen wir damit, daß wir uns das Rauchen einfach »angewöhnt« haben. Die meisten Raucher weisen Drogen entsetzt von sich, doch sie sind genau das: abhängig von Drogen. Zum Glück ist es leicht, von dieser Droge freizukommen, doch erst einmal müssen Sie akzeptieren, daß Sie süchtig sind.

Beim Nikotinentzug erleidet man keine körperlichen Schmerzen. Es ist mehr ein ruheloses Gefühl der Leere, das Gefühl, daß etwas fehlt, weshalb viele Raucher glauben, es hätte etwas mit ihren Händen zu tun. Hält dieses Gefühl länger an, wird der Raucher nervös, unsicher, erregt und reizbar. Es ist wie Hunger – nach einem Gift, nach Nikotin.

Sieben Sekunden nach dem Anzünden einer Zigarette steht neues Nikotin zur Verfügung, und die Gier hat ein Ende, weicht einem Gefühl der Entspannung und der Selbstsicherheit, die die Zigarette dem Raucher vermittelt.

Am Anfang, als wir zu rauchen anfingen, waren die Entzugserscheinungen und ihre Beseitigung so schwach, daß wir uns nicht einmal bewußt wurden, was da ablief. Wenn wir beginnen, regelmäßig zu rauchen, glauben wir, daß wir entweder die Zigaretten gelernt haben zu genießen, oder daß wir uns das Rauchen einfach »angewöhnt« haben. Die Wahrheit ist, daß wir schon abhängig sind; wir merken es nicht, aber die kleine Nikotinbestie hat sich schon in unserem Körper eingenistet, und wir müssen sie immer wieder füttern. Niemand wird dazu gezwungen. Der einzige Grund, warum jeder weiterraucht, ob in Maßen oder Unmaßen, besteht darin, der kleinen Bestie Futter zu verschaffen.

Die ganze Raucherei ist eine Reihe von Rätseln. Alle Raucher wissen im Grunde, daß sie Trottel sind und in irgendeine üble Falle getappt sind. Der tragischste Aspekt am Rauchen ist für mich, daß der Raucher durch eine Zigarette lediglich den Zustand des inneren Friedens, der Ruhe und des Selbstvertrauens wiedererlangt, den sein Körper ohnehin besaß, bevor die Sucht begann. Sie kennen das Gefühl, wenn bei einem Nachbarn den ganzen Tag die Alarmglocke schrillt oder Sie sonst eine kleinere, anhaltende Belästigung ertragen müssen. Dann hört der Lärm plötzlich auf – ein wunderbares Gefühl von Frieden und Ruhe erfüllt einen. Doch das ist kein wirklicher Frieden, sondern nur das Aufhören der Belästigung.

Bevor wir uns in die Gefangenschaft des Nikotins begeben, fehlt unserem Körper nichts. Dann zwingen wir ihm Nikotin auf, und wenn wir dann die Zigarette ausdrücken und das Nikotin abgebaut wird, leiden wir an Entzugssymptomen – nicht an körperlichen Schmerzen, nur an einem Gefühl der Leere. Wir sind uns dieses Gefühls nicht einmal bewußt, doch in unserem Körper wirkt es wie ein tropfender Wasserhahn. Rational verstehen wir das nicht. Wir brauchen es auch weiter nicht zu verstehen. Wir wissen nur, daß wir wieder eine Zigarette haben wollen, und wenn wir sie anzünden, verschwindet die Gier, und für den Augenblick sind wir zufrieden und zuversichtlich – genau wie vor unserer Sucht. Doch die Befriedigung ist nur vorübergehend, weil wir unserem Körper ständig mehr Nikotin zuführen müssen, um die Gier zu stillen. Sobald wir diese Zigarette zu Ende geraucht haben, beginnt die Gier von neuem, und der Teufelskreis geht weiter. Ein lebenslanger Teufelskreis – **außer, Sie sprengen ihn.**

Rauchen ist dasselbe, wie wenn man zu enge Schuhe trägt, um sich die Erleichterung des Ausziehens zu verschaffen. Es gibt vor allem drei Gründe, warum der Raucher diesen Ablauf der Dinge nicht durchschaut:

1. Er leidet nicht an einem erkennbaren körperlichen Schmerz. Da ist nur so ein Gefühl.
2. Es handelt sich um eine Art umgekehrter Wirkung. Deshalb ist es so schwer, von Drogen jeder Art loszukommen. Nur wenn man *nicht* raucht, hat man dieses lästige Gefühl – man gibt die Schuld nicht der Zigarette. Sobald Sie sich eine anstecken, empfinden Sie Erleichterung – daher verfallen Sie dem Irrglauben, die Zigarette verschaffe Ihnen Vergnügen oder Halt.
3. Seit unserer Geburt werden wir einer massiven Gehirnwäsche unterzogen. Obwohl es unserem Leben an nichts fehlt, bevor wir anfangen zu rauchen, überrascht es uns

nicht, wenn wir nach dem etwas mühsamen Lernprozeß anfangen zu glauben, Zigaretten schenkten uns Genuß oder Sicherheit. Warum sollten wir das auch in Frage stellen? Wir gehören jetzt zur »glücklichen Rauchergemeinde«.

An dieser Stelle kann ich genausogut einige der Illusionen über das Rauchen zerstören. Die »Gewohnheit« existiert nicht. Wir haben im Leben alle möglichen wechselnden Gewohnheiten, manche machen uns sehr viel Spaß. Doch eine Gewohnheit, die gräßlich schmeckt, uns ein Vermögen kostet, die wir schmutzig und ekelhaft finden und die wir ohnehin gern loswerden möchten, sollten wir doch mit Leichtigkeit abschütteln können. Warum fällt es uns so schwer? Die Antwort lautet, daß es sich nicht um eine Gewohnheit, sondern um Drogenabhängigkeit handelt. Wir müssen lernen, uns damit auseinanderzusetzen. Bevor wir wissen, wie uns geschieht, kaufen wir nicht nur regelmäßig Zigaretten, sondern *müssen* welche haben. Wenn wir keine bekommen, setzt Panik ein, und mit der Zeit neigen wir dazu, immer mehr zu rauchen.

Das geschieht, weil der Körper wie bei jeder anderen Droge die Tendenz zeigt, gegen die Wirkungen des Nikotins immun zu werden, und wir folglich immer mehr Nikotin zu uns nehmen. Schon nach recht kurzer Zeit hebt die Zigarette die Entzugserscheinungen, die sie verursacht, nicht mehr vollständig auf, so daß wir uns nach dem Anzünden einer Zigarette zwar besser fühlen als einen Moment vorher, im Grunde aber nervöser und angespannter sind, als wenn wir Nichtraucher geblieben wären, und das sogar während des Rauchens. Das ist noch lächerlicher als das Tragen zu enger Schuhe, denn ein immer größerer Teil der Schmerzen dauert weiter an, auch wenn die Schuhe längst ausgezogen sind.

Die Situation ist sogar noch schlimmer, denn das Nikotin verflüchtigt sich rasch aus dem Körper, sobald die Zigarette zu Ende geraucht ist, was erklärt, warum ein Raucher in Streßsituationen zum Kettenrauchen neigt.

Wie ich sagte, existiert die »Gewohnheit« gar nicht. Der wahre Grund, warum jeder Raucher weiterraucht, ist jene kleine Bestie in ihm. Immer wieder muß er sie füttern. Der Raucher selbst entscheidet, wann er das tut, meist in einer von vier Situationen oder einer Kombination davon. Es sind:

Langeweile/Konzentration – zwei extreme Gegensätze!
Streß/Entspannung – zwei extreme Gegensätze!

Welche Wunderdroge kann plötzlich die Wirkung, die sie vor zwanzig Minuten hatte, ins Gegenteil verkehren? Wenn man so recht darüber nachdenkt, welche anderen Situationen gibt es denn schon in unserem Leben, vom Schlafen einmal abgesehen? In Wahrheit hilft Rauchen weder gegen Langeweile und Streß, noch fördert es unsere Konzentration und Entspannung. Das ist alles nur Täuschung.

Nikotin ist nicht nur eine Droge, sondern auch ein stark wirkendes Gift, das bei Insektenvernichtungsmitteln eingesetzt wird (lesen Sie das doch mal in Ihrem Lexikon nach). Der Nikotingehalt einer einzigen Zigarette würde Sie umbringen, wenn er Ihnen direkt in eine Vene gespritzt würde. Tabak enthält übrigens zahlreiche weitere Giftstoffe, einschließlich Kohlenmonoxid.

Falls Ihnen nun vorschwebt, zu einer Pfeife oder zu Zigarren überzuwechseln, möchte ich klarstellen, daß sich dieses Buch auf jede Art von Tabak bezieht.

Der menschliche Körper ist das komplexeste Ding auf unserem Planeten. Keine Spezies, nicht einmal die primitivsten Amöben oder Würmer werden überleben, wenn sie den Unterschied zwischen Nahrung und Gift nicht erkennen.

In einem Prozeß natürlicher Selektion haben unser Körper und Verstand Techniken entwickelt, um zwischen Nahrung und Gift zu unterscheiden, sowie zuverlässige Methoden, letzteres wieder von sich zu geben.

Alle Menschen finden den Geruch und den Geschmack von Tabak abstoßend, bis sie selbst nikotinsüchtig sind. Wenn Sie Tabakrauch ins Gesicht eines Tieres oder eines Kindes blasen, wird es husten und spucken.

Beim Rauchen unserer ersten Zigarette löst das Inhalieren einen Hustenanfall aus. Wenn wir beim ersten Mal zuviel rauchen, wird uns schwindlig oder tatsächlich körperlich übel. Unser Körper sagt uns damit: »Du gibst mir Gift. Laß das bleiben.« Dies ist das Stadium, in dem sich oft entscheidet, ob wir Raucher werden oder nicht. Es ist ein Irrtum, daß überwiegend körperlich und psychisch schwache Menschen anfangen zu rauchen. Wer seine erste Zigarette widerwärtig findet, hat großes Glück; seine Lunge wird nicht damit fertig, und er ist fürs Leben geheilt. Oder er ist innerlich nicht auf den mühsamen Lernprozeß vorbereitet, das Inhalieren zu probieren, ohne dabei zu husten.

Für mich ist das Tragischste am Ganzen, wie hart wir an unserer Sucht arbeiten müssen, und deshalb ist es so schwierig, Jugendliche davon abzuhalten. Weil sie das Rauchen immer noch lernen müssen, weil sie Zigaretten widerlich finden, glauben sie, sie könnten jederzeit aufhören. Warum lernen sie nicht von uns? Doch warum haben wir nicht von unseren Eltern gelernt?

Viele Raucher glauben, daß sie den Geschmack und Geruch von Tabak tatsächlich mögen. Das ist eine Illusion. Wenn wir lernen zu rauchen, bringen wir unserem Körper bei, unempfindlich gegen den Gestank und den schlechten

Geschmack zu werden, damit wir unseren Schuß bekommen, wie Fixer, die sich einbilden, das Spritzen mache ihnen Spaß. Die Entzugserscheinungen sind bei Heroin äußerst heftig, und was wirklich Spaß macht, ist das Ritual der Beendigung dieser Symptome.

Der Raucher lernt, seine Sinne gegenüber dem schlechten Geschmack und Geruch zu verschließen, um seinen Schuß zu bekommen. Fragen Sie einen Raucher, der sich einbildet, er rauche lediglich, weil ihm der Tabak schmeckt: »Wenn Sie Ihre übliche Sorte Zigaretten nicht bekommen und nur eine Marke kaufen können, die Sie nicht mögen, lassen Sie dann das Rauchen bleiben?« Keine Chance. Zwar schmecken sie anfangs schrecklich, aber mit etwas Hartnäckigkeit lernt er die Zigarette zu lieben. Ein Raucher wird sogar versuchen, bei Erkältungen, Grippe, Halsschmerzen, Bronchitis und Emphysemen weiterzurauchen.

Mit Genuß hat das nichts zu tun. Hätte es das, dann würde niemand mehr als eine Zigarette rauchen. Es gibt sogar Tausende von Ex-Rauchern, die inzwischen süchtig auf diesen ekelhaften, von den Ärzten verschriebenen Nikotin-Kaugummi sind, obwohl viele von ihnen trotzdem weiterrauchen.

Bei meinen Beratungen kommen einige Raucher zu der Erkenntnis, daß sie Drogenabhängige sind, sehr beunruhigend, weil sie glauben, daß es ihnen deshalb noch schwerer fallen wird, aufzuhören. Doch aus zwei wichtigen Gründen ist die Realität gar nicht so übel:

1. Der Grund, warum die meisten von uns weiterrauchen, obwohl wir wissen, daß die Nachteile die Vorteile überwiegen, liegt darin, daß wir glauben, Zigaretten besäßen etwas, was wir tatsächlich genießen oder was uns irgendwie hilft. Wir haben das Gefühl, wenn wir aufhören zu rauchen, wird eine Leere entstehen, bestimmte Situatio-

nen in unserem Leben werden nie wieder so wie früher sein. Das ist eine Täuschung. Tatsache ist, daß die Zigarette uns gar nichts gibt; sie nimmt uns nur etwas weg und ersetzt es dann teilweise wieder, was uns unsere Täuschung vorspiegelt. Ich werde das in einem späteren Kapitel ausführlicher erklären.

2. Obwohl Nikotin wegen der Schnelligkeit, mit der es süchtig macht, die mächtigste Droge der Welt ist, ist die Abhängigkeit davon nie sehr stark. Weil es so schnell wirkt, dauert es nur drei Wochen, bis der Körper neunundneunzig Prozent ausgeschieden hat, und die eigentlichen Entzugssymptome sind so geringfügig, daß die meisten Raucher zeitlebens nie bemerkt haben, daran gelitten zu haben.

Die Frage ist sehr berechtigt, warum es dann viele Raucher so schwierig finden, mit dem Rauchen aufzuhören, dabei monatelange Qualen ertragen müssen und den Rest ihres Lebens immer noch dann und wann nach einer Zigarette gieren? Die Antwort liefert gleichzeitig den zweiten Grund, warum wir rauchen – wegen der Gehirnwäsche. Die chemische Abhängigkeit ist einfach zu bekämpfen.

Die meisten Raucher überstehen die ganze Nacht ohne Zigarette. Die Entzugserscheinungen wecken sie nicht einmal auf. Viele Raucher verlassen tatsächlich erst ihr Schlafzimmer, bevor sie ihre erste Zigarette anzünden; viele essen erst noch ihr Frühstück; viele warten, bis sie am Arbeitsplatz sind. Sie können einen zehnstündigen Entzug überstehen, und es macht ihnen nichts aus, aber wenn sie tagsüber zehn Stunden lang auf Zigaretten verzichten müßten, würden sie die Wände hochgehen.

Viele Raucher, die sich ein neues Auto kaufen, rauchen nicht darin. Viele gehen ins Theater, in den Supermarkt, in

Kirchen usw., und es stört sie nicht weiter, daß sie dort nicht rauchen können. Sogar in der U-Bahn gab es noch keine Aufstände deswegen. Raucher freuen sich fast, wenn irgend jemand oder irgend etwas sie dazu zwingt, das Rauchen einzustellen.

Heute verzichten viele Raucher ohne größeres Unbehagen in der Wohnung von Nichtrauchern oder auch nur in deren Gesellschaft aufs Rauchen. Bei den meisten Rauchern kommt es regelmäßig vor, daß sie länger nicht rauchen, ohne sich dabei besonders plagen zu müssen. Sogar ich habe mich immer den ganzen Abend lang glücklich ohne Zigarette entspannt. In meinen späteren Jahren als Raucher freute ich mich sogar schon immer auf die Abende, wenn ich aufhören konnte, mir selbst die Luft zum Atmen abzuschneiden (was für eine lächerliche Gewohnheit).

Mit der chemischen Abhängigkeit wird man leicht fertig, auch wenn man immer noch süchtig ist, und es gibt Tausende von Gelegenheitsrauchern, die lange Zeiträume auf Zigaretten verzichten können. Sie sind dabei genauso abhängig wie Kettenraucher. Es gibt sogar starke Raucher, die ihrer Gewohnheit entrinnen konnten, aber noch dann und wann zur Zigarette greifen, und schon das genügt, um die Sucht aufrechtzuerhalten.

Wie gesagt ist die tatsächliche Nikotinsucht nicht das Hauptproblem. Sie wirkt nur wie ein Katalysator, der unser Denken verwirrt, damit wir das wirkliche Problem nicht erkennen. Die Gehirnwäsche.

Vielleicht ist es ein Trost für lebenslange, starke Raucher, wenn sie erfahren, daß es für sie genauso einfach ist, mit dem Rauchen aufzuhören, wie für den Gelegenheitsraucher. In bestimmter Hinsicht ist es sogar einfacher. Je länger Sie rauchen, desto tiefer sinken Sie nach unten, und desto mehr haben Sie davon, wenn Sie aufhören.

Ein weiterer Trost mag sein, daß die Gerüchte, die gelegentlich kursieren (z. B. »Es dauert sieben Jahre, bis der letzte Dreck den Körper verläßt«, oder »Jede Zigarette, die man raucht, stiehlt einem fünf Minuten von seinem Leben«) nicht stimmen.

Glauben Sie nicht, daß die katastrophalen Wirkungen des Rauchens übertrieben dargestellt werden. Wenn überhaupt, dann wird leider noch untertrieben, aber die »Fünf-Minuten-Regel« ist offensichtlich eine grobe Schätzung und trifft nur zu, wenn Sie sich eine der tödlichen Erkrankungen zuziehen oder Ihre Arterien bis zum Herzstillstand verstopfen.

In der Tat verläßt der »Dreck« Ihren Körper niemals vollständig. Wenn Raucher in der Nähe sind, liegt es in der Luft, und sogar Nichtraucher nehmen einen kleinen Prozentsatz davon auf. Doch sind unsere Körper unglaubliche Maschinen und besitzen ungeheure Selbstheilungskräfte, vorausgesetzt, Sie haben noch nicht eine der unheilbaren Erkrankungen. Wenn Sie jetzt aufhören, wird sich Ihr Körper innerhalb weniger Wochen erholen, fast so gut, als hätten Sie nie geraucht.

Zum Aufhören ist es nie zu spät. Ich habe viele Raucher in den Fünfzigern und Sechzigern behandelt, sogar einige in den Siebzigern und Achtzigern. Vor kurzem kam eine Einundneunzigjährige mit ihrem fünfundsechzigjährigen Sohn zu mir in die Klinik. Als ich sie fragte, warum sie beschlossen hätte, das Rauchen aufzugeben, antwortete sie: »Um ihm mit gutem Beispiel voranzugehen.«

Je übler Ihnen das Rauchen mitspielt, um so größer die Erleichterung danach. Als ich schließlich zu rauchen aufhörte und die Zahl meiner Zigaretten mit einem Schlag von 100 auf Null reduzierte, litt ich nicht ein einziges Mal an schlimmen Entzugserscheinungen. Es machte Spaß, sogar in der Entwöhnungszeit.

Doch wir *müssen* die Spuren der Gehirnwäsche von uns abschütteln.

7 | Gehirnwäsche und das Unterbewußte

Wie oder warum fangen wir überhaupt an zu rauchen? Um das im ganzen Ausmaß begreifen zu können, müssen wir die machtvolle Wirkung des Unterbewußten oder, wie ich es nenne, unseres »schlafenden Partners« untersuchen.

Wir alle halten uns gern für intelligente, überlegene Wesen, die ihren Lebensweg selbst bestimmen. Aber in Wirklichkeit sind neunundneunzig Prozent unseres Lebens vorgezeichnet. Wir sind das Produkt der Gesellschaft, in der wir aufwachsen – sie legt fest, welche Kleidung wir tragen, in welchen Häusern wir wohnen, unsere grundlegenden Verhaltensmuster, sogar die, in denen wir uns gern unterscheiden, zum Beispiel, ob wir politisch eher konservativ oder eher liberal eingestellt sind. Letzteres ist kein Zufall, sondern hat viel damit zu tun, aus welcher Gesellschaftsschicht wir stammen. Das Unterbewußte übt einen äußerst wichtigen Einfluß auf uns aus, und sogar wenn es um Fakten, nicht um Meinungen geht, lassen sich Millionen hinters Licht führen. Bevor Kolumbus die Welt umsegelte, war die Mehrheit davon überzeugt, die Welt sei eine Scheibe. Heute wissen wir, daß sie eine Kugel ist. Würde ich ein Dutzend Bücher schreiben und versuchen, Sie davon zu überzeugen, die Erde sei doch eine Scheibe, gelänge mir das nicht, doch wie viele von uns sind je im Weltraum gewesen und haben die Kugel mit eigenen Augen gesehen? Selbst wenn Sie die Welt umflogen oder umsegelt haben, woher wissen Sie denn, daß Sie nicht im Kreis auf einer Fläche gereist sind?

Die Werbeleute kennen die Macht der Suggestion über das Unterbewußte sehr gut, daher die Riesenposter, denen der Raucher auf Schritt und Tritt begegnet, die Anzeigen in jeder Zeitung.

Glauben Sie, das sei Geldverschwendung? Daß Sie sich davon nicht einreden ließen, Sie müßten Zigaretten kaufen? Da irren Sie sich! Probieren Sie's doch mal selbst aus. Nächstes Mal, wenn Sie an einem kalten Tag in eine Kneipe oder ein Restaurant gehen und Ihr Begleiter Sie fragt, was Sie trinken, dann sagen Sie nicht: »Einen Whisky« (oder was auch immer), sondern: »Weißt du, wonach mir heute so richtig ist? Nach diesem wunderbar sanften Feuer eines Whiskys.« Sie werden feststellen, daß sich Ihnen sogar Leute anschließen werden, die gar keinen Whisky mögen. Vom Kleinkindalter an wird unser Unterbewußtes täglich mit Botschaften bombardiert, die uns einreden, Zigaretten würden uns entspannen, uns Mut und Selbstvertrauen geben, und daß das kostbarste Ding auf dieser Erde eine Zigarette sei. Finden Sie, ich übertreibe? Wenn Sie eine Filmszene sehen, in der jemand gleich hingerichtet oder erschossen wird, was ist sein letzter Wunsch? Richtig, eine Zigarette. Das hinterläßt einen tiefen Eindruck in uns, was zwar unser Bewußtsein nicht registriert, doch unser »schlafender Partner« hat genug Zeit, sich die Botschaft einzuverleiben. Was hier wirklich rüberkommt, ist die Aussage: »Das Wertvollste auf dieser Welt, mein letzter Gedanke und meine letzte Tat, ist eine Zigarette.« In jedem Kriegsfilm bekommen Verwundete eine Zigarette.

Glauben Sie, das hätte sich in letzter Zeit geändert? Nein, immer noch stürmt die Werbung von riesigen Reklametafeln und Anzeigen auf unsere Kinder ein. Zigarettenwerbung darf angeblich nicht mehr im Fernsehen gesendet werden, doch in wie vielen Filmen, die zu Spitzenzeiten laufen, zünden sich die Darsteller genüßlich eine Zigarette an? Am verhängnisvollsten ist der heutige Trend, Zigaretten in Zusammenhang mit sportlichen Ereignissen und dem Jet Set zu bringen, alles natürlich gesponsert von Tabak-Giganten. Grand-Prix-Rennwagen, die gewissen Zigarettenmarken nachgestalten und sogar danach benannt werden – oder ist es umgekehrt? Ich habe schon Werbespots gesehen, in denen ein nacktes Paar nach dem Sex im Bett eine Zigarette miteinander teilt. Klar, was das für Assoziationen weckt. Wie bewundere ich jene Zigarillo-Werbung, nicht wegen ihrer Motive, sondern wegen ihrer Brillanz: Immer steht ein Mann dem Tod oder der Katastrophe gegenüber – sein Fesselballon brennt und wird gleich abstürzen, oder der Beiwagen seines Motorrads wird gleich in einen Fluß krachen, oder er ist Kolumbus, und sein Schiff wird gleich über den Rand der Erde kippen. Kein Wort wird gesprochen. Leise spielt Musik. Er zündet sich einen Zigarillo an; ein Ausdruck reiner Verzückung verklärt sein Gesicht. Der Raucher bekommt vielleicht bewußt gar nicht mit, daß er die Werbung sieht, doch der »schlafende Partner« schluckt geduldig die offenkundige Botschaft.

Natürlich wird auch von der anderen Seite Werbung gemacht: über die Krebsgefahr, amputierte Beine, schlechten Atem. Doch sie bringt den Raucher nicht vom Rauchen ab. Der Logik nach sollte sie es tun, doch sie tut es nicht. Sie hält nicht einmal Jugendliche davon ab, mit dem Rauchen anzufangen. All die Jahre, in denen ich rauchte, war ich ehrlich davon überzeugt, ich hätte nie angefangen zu rauchen, wenn ich über den Zusammenhang zwischen Lungenkrebs und Zigarettenkonsum aufgeklärt worden wäre. Die Wahrheit ist, daß die ganze Aufklärung nicht die geringste Wirkung hat. Die Falle ist heute dieselbe wie früher. Die ganzen Nichtraucherkampagnen steigern nur die Verwirrung. Sogar die Produkte selbst, diese hübschen, glänzenden Päckchen, die Sie dazu verlocken, sich ihren Inhalt einzuverleiben, haben einen Warnhinweis aufgedruckt. Welcher Raucher liest ihn schon, geschweige denn zieht daraus seine Konsequenzen.

Ich glaube, daß ein führender Zigarettenhersteller den gesetzlich vorgeschriebenen Warnhinweis sogar dazu benutzt, um seine Produkte zu verkaufen. Viele der Spots zeigen beängstigende Details wie Spinnen, riesige Insekten und die fleischfressende Venusfliegenfalle. Der Warnhinweis ist jetzt so groß und auffällig gedruckt, daß der Raucher ihn nicht übersehen kann, selbst wenn er es versucht. Die Ängste, die der Raucher empfindet, rufen eine Assoziation mit dem glänzenden, goldenen Päckchen hervor.

Ironischerweise ist der mächtigste Faktor bei dieser Gehirnwäsche der Raucher selbst. Es ist ein Irrtum, daß Raucher willensschwache und körperlich verweichlichte Menschen seien. Man muß eine gute Kondition haben, um mit dem Gift fertig zu werden. Das ist einer der Gründe, warum Raucher blind für die Statistiken sind, die zwingend beweisen, daß das Rauchen der Gesundheit schadet. Jeder kennt einen Onkel Alfred, der zwei Schachteln am Tag rauchte, nie im Leben einen Tag krank war und achtzig Jahre alt wurde. Die Hunderte anderer Raucher, die im besten Alter wegsterben, oder die Tatsache, daß Onkel Alfred vielleicht noch am Leben wäre, wenn er nicht geraucht hätte, werden einfach ignoriert. Wenn Sie eine kleine Umfrage unter Ihren Freunden und Kollegen veranstalten, werden Sie herausfinden, daß die meisten Raucher sogar willensstarke Persönlichkeiten sind. Oft sind sie Selbständige, leitende Angestellte oder Angehörige bestimmter qualifizierter Berufe, wie Ärzte, Rechtsanwälte, Polizisten, Lehrer, Verkäufer, Krankenschwestern, Sekretärinnen, Hausfrauen mit Kindern usw. – mit anderen Worten, alle, die viel Streß ausgesetzt sind. Der größte Irrtum des

Rauchers ist ja, daß das Rauchen ihm den Streß erleichtere; daher wird es gern mit einem dominanten Menschentyp in Verbindung gebracht, dem Typ, der Verantwortung und Streß auf sich nimmt und dafür natürlich bewundert und nachgeahmt wird. Eine weitere für die Nikotinsucht anfällige Gruppe sind Menschen mit eintöniger Arbeit, weil Langeweile der zweite Hauptgrund zu rauchen ist. Daß Zigaretten dagegen helfen, ist ebenfalls ein Irrtum, wie ich fürchte.

Das Ausmaß der Gehirnwäsche ist unglaublich. Unsere Gesellschaft entrüstet sich über Klebstoff-Schnüffler, Heroinsüchtige usw. Doch vom Schnüffeln sterben keine zehn Menschen jährlich, und Herointote gibt es wenige hundert im Jahr.

Aber da gibt es noch eine andere Droge, das Nikotin, von dem über sechzig Prozent von uns irgendwann einmal abhängig werden; die meisten bezahlen ihr Leben lang teuer dafür. Sie stecken einen Großteil ihres Taschengelds in Zigaretten, und jedes Jahr zerstört das Rauchen Tausende von Menschenleben. Rauchen ist die Todesursache Nummer eins in der westlichen Gesellschaft, Verkehrsunfälle, Brände usw. eingeschlossen.

Warum betrachten wir das Schnüffeln und die Heroinsucht als so großes Übel, während wir den Konsum einer Droge, für die wir soviel Geld hinauswerfen und die uns tatsächlich umbringt, noch vor wenigen Jahren als völlig akzeptables soziales Verhalten bewerteten? In den letzten Jahren hat sich die öffentliche Meinung etwas gewandelt, so daß das Rauchen jetzt als leicht unsoziale Gewohnheit gilt, die möglicherweise der Gesundheit schadet, doch immer noch ist die Droge legal und in glänzenden Päckchen an allen Ecken erhältlich. Das größte Interesse daran hat unsere Regierung. Sie nimmt von den Rauchern Milliarden an Tabaksteuer ein, und die Tabakindustrie gibt jährlich mehrere Hundert Millionen allein für die Werbung aus.

Gegen diese Gehirnwäsche müssen Sie Widerstand entwickeln, genau wie beim Kauf eines Gebrauchtwagens vom Händler. Sie würden seinen Ausführungen höflich nickend zuhören, ihm aber kein Wort von dem glauben, was er sagt.

Als erstes schauen Sie hinter die Hochglanzfassade der Päckchen, welcher Dreck und welches Gift sich dahinter verbergen. Lassen Sie sich von den Kristallaschern oder den goldenen Feuerzeugen oder den Millionen, die sich schon für dumm haben verkaufen lassen, nicht blenden. Fragen Sie sich:

Warum tue ich das eigentlich?

Muß ich es wirklich tun?

Nein, natürlich müssen Sie nicht.

Diesen Aspekt der Gehirnwäsche finde ich am schwierigsten zu erklären. Warum wird ein ansonsten rationaler, intelligenter Mensch zum Schwachsinnigen, wenn es um seine eigene Sucht geht? Nur äußerst ungern gestehe ich, daß von all den Tausenden, denen ich geholfen habe, aus ihrer Gewohnheit auszubrechen, ich selbst der größte Idiot war.

Nicht nur habe ich selbst die Marke von einhundert Zigaretten pro Tag erreicht; auch mein Vater war ein starker Raucher. Er war ein kräftiger Mann, den seine Raucherei in der Blüte seiner Jahre dahingerafft hat. Ich erinnere mich, wie ich ihn als Junge morgens beim Husten und Schleimspucken beobachtet habe. Ich konnte auch sehen, daß er keinen Genuß davon hatte, und für mich war es klar, daß er von einem bösen Geist besessen war. Ich erinnere mich, wie ich zu meiner Mutter sagte: »Laß mich bloß nie zum Raucher werden.«

Mit fünfzehn war ich ein Fitneß-Fanatiker. Sport war mein Leben, und ich strotzte vor Vitalität und Selbstvertrauen. Wenn mir jemand damals gesagt hätte, daß ich einmal hundert Zigaretten täglich rauchen würde, hätte ich meinen ganzen Lebensverdienst darauf gesetzt, daß das nie geschehen würde.

Mit vierzig war ich körperlich und psychisch ein Zigarettenjunkie. Ich hatte das Stadium erreicht, wo ich die banalste körperliche oder geistige Handlung nicht mehr ausführen konnte, ohne mir eine anzustecken. Bei den meisten Rauchern löst der normale Streß des Lebens den Griff zur Zigarette aus, zum Beispiel, wenn das Telefon klingelt oder sie sich in Gesellschaft bewegen müssen. Ich konnte nicht einmal das Fernsehprogramm umschalten oder eine Glühbirne auswechseln, ohne mir eine Zigarette anzuzünden.

Ich wußte, daß mich das Rauchen umbrachte. Da konnte ich mir unmöglich etwas vormachen. Aber warum ich nicht begriff, was sich in meinem Kopf abspielte, verstehe ich nicht. Dabei sprang es mir fast ins Gesicht und biß mich in die Nase. Das Lächerliche ist, daß die meisten Raucher irgendwann der Täuschung verfallen, Rauchen sei für sie ein Genuß. An dieser Täuschung habe ich nie gelitten. Ich rauchte, weil ich glaubte, es stärke meine Nerven und ich könne mich leichter konzentrieren. Jetzt bin ich Nichtraucher und kann kaum glauben, daß es jene Zeit in meinem Leben tatsächlich gegeben hat. Es ist, als ob ich aus einem Alptraum erwacht wäre, und aus welchem! Nikotin ist eine Droge, die die Sinneswahrnehmung verändert – den Geschmacks- und Geruchssinn. Das Schlimmste am Rauchen ist nicht die Schädigung der Gesundheit oder des Geldbeutels, sondern die Verkrüppelung der Psyche. Man sucht nach allen möglichen plausiblen Erklärungen, nur um weiterrauchen zu können.

Ich erinnere mich, wie ich einmal nach einem gescheiterten Versuch, das Rauchen aufzugeben, zum Pfeifenrauchen überging, weil ich annahm, das sei weniger schädlich.

Manche Sorten von Pfeifentabak sind absolut widerlich. Der Geruch ist vielleicht ganz angenehm, aber sie zu rauchen ist scheußlich. Ich kann mich erinnern, daß meine Zungenspitze drei Monate lang so wund wie eine Eiterbeule war. Unten im Pfeifenkopf sammelt sich eine braune Brühe. Manchmal hebt man unwillkürlich den Pfeifenkopf über die Waagrechte hinaus hoch, und bevor man sich umsieht, hat man einen Schwall dieser Dreckbrühe verschluckt. In der Regel übergibt man sich sofort, egal, in welcher Gesellschaft man sich gerade befindet.

Ich brauchte drei Monate, bis ich mit der Pfeife zurechtkam, aber ich begreife nicht, warum ich mich in diesen drei Monaten nicht irgendwann hinsetzte und mich fragte, warum ich diese Folter auf mich nahm.

Wenn ein Raucher die Handhabung der Pfeife einmal erlernt hat, scheint er natürlich glücklicher zu sein als jeder andere. Die meisten sind überzeugt, sie rauchten, weil ihnen ihre Pfeife schmeckt. Doch warum mußten sie diesen Genuß so mühsam erlernen, wenn sie vorher ganz glücklich ohne ihn lebten?

Die Antwort lautet: Sobald Sie einmal nikotinsüchtig geworden sind, wirkt die Gehirnwäsche doppelt stark. Ihr Unterbewußtes weiß, daß die kleine Bestie gefüttert werden muß, und schaltet alles andere aus Ihrem Denken aus. Wie ich bereits festgestellt habe, treibt die Angst die Menschen zum Weiterrauchen, die Angst vor diesem Gefühl der Leere und Unsicherheit, das einen überfällt, sobald der Nikotinspiegel absackt. Wenn Sie sich dieser Angst nicht bewußt sind, heißt das nicht, daß sie nicht da ist. Sie brauchen den Mechanismus genausowenig zu durchschauen wie eine Katze den Verlauf der Röhren von der Fußbodenheizung; sie weiß nur, daß sie's schön warm hat, wenn sie an einer bestimmten Stelle sitzt.

Die Gehirnwäsche ist die Hauptschwierigkeit beim Aufgeben des Rauchens. Die Gehirnwäsche, der wir unterzogen wurden, während wir in dieser Gesellschaft aufwuchsen, dazu noch die Gehirnwäsche, die unsere eigene Sucht bei uns bewirkt, und die wirkungsvollste von allen, die Gehirnwäsche, die uns Freunde, Verwandten und Kollegen verpassen.

Das einzige, was uns dazu bringt, mit dem Rauchen anzufangen, sind alle anderen, die es tun. Wir haben das Gefühl, wir würden sonst etwas versäumen. Wir geben uns solche Mühe, um uns abhängig zu machen, doch nie findet einer heraus, was man da eigentlich versäumt. Jedesmal, wenn wir einen anderen Raucher sehen, bestärkt uns das in dem Glauben, daß an der Sache etwas dran sein muß, sonst würde er ja nicht rauchen. Sogar wenn er sich das Rauchen abgewöhnt, hat der Ex-Raucher ein Gefühl der Entbehrung, wenn sich ein Raucher auf einer Party oder bei einem anderen geselligen Anlaß eine Zigarette ansteckt. Er wiegt sich in Sicherheit. Er genehmigt sich eine einzige Zigarette. Und ehe er weiß, wie ihm geschieht, hängt er wieder am Glimmstengel. Diese Gehirnwäsche hat eine ungemein starke Wirkung, die Sie sich bewußt machen müssen. Ich erinnere mich noch an eine Krimiserie im Radio, Paul Temple, eine sehr beliebte Sendung in der Nachkriegszeit. In einer Folge ging es um die Abhängigkeit von Haschisch, auch als *Pot* oder *Gras* bekannt. Bösewichter drehten Rauchern ohne deren Wissen Zigaretten an, die Hasch enthielten. Die Wirkung war nicht schädlich. Die Leute wurden lediglich süchtig und mußten die Zigaretten weiterkaufen. (Bei meinen Beratungen haben Hunderte von Rauchern zugegeben, auch einmal Haschisch probiert zu haben. Keiner von ihnen hatte festgestellt, davon süchtig geworden zu sein.) Ich war etwa sieben Jahre alt, als ich die Sendung hörte. Durch sie kam ich zum ersten Mal mit dem Thema Drogenabhängigkeit in Berührung. Die Vorstellung von Sucht, vom zwanghaften Weiternehmen der Droge, entsetzte

51

mich, und obwohl ich ziemlich sicher bin, daß Haschisch nicht suchterzeugend ist, würde ich es bis heute nicht wagen, einmal an einer Haschzigarette zu ziehen. Wie paradox, daß ausgerechnet ich als Junkie der Suchtdroge Nummer eins endete. Hätte mich Paul Temple doch nur vor den Zigaretten selbst gewarnt! Wie paradox, daß über vierzig Jahre später die Menschheit Millionen für die Krebsforschung ausgibt, aber Milliarden ausgegeben werden, um gesunde Jugendliche zum Rauchen des ekelhaften Unkrauts zu verlocken, wobei die Staatskassen dabei noch den größten Profit herausschlagen!

Wir sind dabei, die Gehirnwäsche rückgängig zu machen. Nicht dem Nichtraucher fehlt etwas, sondern dem armen Raucher, der ein Leben lang folgendes verspielt:

Gesundheit

Energie

Wohlhabenheit

Innere Ruhe

Selbstvertrauen

Mut

Selbstachtung

Glück.

Und was bekommt er für alles, was er dafür aufgibt?

Gar nichts – außer der Illusion, den Zustand der inneren Gelassenheit, Ruhe und Selbstsicherheit wiederzuerlangen, dessen sich der Nichtraucher die ganze Zeit erfreut.

8 | Entzugserscheinungen lindern

Wie ich bereits erklärte, glauben die meisten Raucher, sie rauchten wegen des Genusses, der Entspannung oder eines sonstigen Hochgefühls, das sie davon hätten. Damit täuschen sie sich in Wirklichkeit selbst. Der tatsächliche Grund ist die Beseitigung der Entzugserscheinungen.

Am Anfang benutzen wir die Zigaretten als etwas, woran wir uns in Gesellschaft festhalten können. Wir können rauchen oder es bleiben lassen. Doch der Teufelskreis hat schon begonnen. Unser Unterbewußtes beginnt zu lernen, daß eine Zigarette zu gewissen Zeiten angenehm ist.

Je stärker unsere Abhängigkeit vom Nikotin wird, desto heftiger wird unser Bedürfnis, uns Erleichterung zu verschaffen, desto tiefer zieht uns die Zigarette nach unten, und desto mehr bilden wir uns ein, daß sie das Gegenteil tut. Das alles geschieht so langsam, so allmählich, daß wir es überhaupt nicht mitbekommen. Jeden Tag fühlen wir uns nicht anders als am Tag zuvor. Die meisten Raucher erkennen ihre Abhängigkeit gar nicht, bevor sie einmal den Versuch machen, mit dem Rauchen aufzuhören, und sogar dann geben viele ihre Abhängigkeit nicht zu. Ein paar Unentwegte stecken ihr Leben lang den Kopf in den Sand und versuchen, sich selbst und andere davon zu überzeugen, daß sie das Rauchen genießen.

Mit Hunderten von Jugendlichen habe ich stets das gleiche Gespräch geführt:

Ich: Ihnen ist klar, daß Nikotin eine Droge ist, und der einzige Grund, warum Sie rauchen, besteht darin, daß Sie es nicht lassen können.

J: Quatsch! Ich genieße es. Wenn nicht, würde ich aufhören.

Ich: Dann hören Sie doch einfach eine Woche lang auf, um mir zu beweisen, daß Sie es können, wenn Sie wollen.

J: Nicht nötig. Ich genieße es. Wenn ich aufhören wollte, würde ich's schon tun.

Ich: Hören Sie einfach eine Woche lang auf, um sich selbst zu beweisen, daß Sie nicht abhängig sind.

J: Wozu soll das gut sein? Ich genieße es.

Wie gesagt, neigen Raucher dazu, ihre Entzugserscheinungen in Streßsituationen, oder bei Langeweile, oder wenn sie sich konzentrieren oder entspannen wollen, oder wenn mehrere dieser Faktoren zusammentreffen zu lindern. Darauf werde ich in den nächsten paar Kapiteln ausführlicher eingehen.

9 | Streßsituationen

Damit meine ich nicht nur die großen Tragödien des Lebens, sondern auch geringeren Streß, gesellige Anlässe, Anrufe, die Genervtheit einer Mutter, wenn ihre Kinder herumtoben. Nehmen wir einmal das Telefongespräch als Beispiel. Die meisten Menschen empfinden das Telefonieren als leichten Streß, vor allem Geschäftsleute. Die meisten Anrufe kommen nicht von zufriedenen Kunden oder von einem Chef, der Ihnen gratulieren will. Meist gibt es Ärger – etwas geht schief, oder jemand stellt Forderungen. In diesem Moment zündet ein Raucher, der noch keine Zigarette im Mund hat, eine an. Er weiß nicht, warum, aber er weiß, daß ihm das aus irgendeinem Grund zu helfen scheint.

Wirklich ist folgendes passiert. Ohne daß es ihm bewußt geworden wäre, war er bereits gestreßt – nämlich von den Entzugserscheinungen. Wenn er diesen Entzugsstreß beseitigt, verringerte sich der Gesamtstreß; der Raucher erlebt ein Hoch. In diesem Moment ist das auch wirklich keine Täuschung. Nach dem Anzünden der Zigarette fühlt sich der Raucher besser als vorher. Doch sogar während er diese Zigarette raucht, ist der Raucher angespannter als ein Nichtraucher, denn je stärker er von der Droge abhängig wird, desto weiter zieht sie ihn nach unten, und desto weniger Erleichterung verschafft ihm das Rauchen.

Ich versprach, Ihnen eine Schockbehandlung zu ersparen. Mit dem Beispiel, das ich Ihnen nun geben werde, möchte ich Sie nicht schockieren; ich möchte nur drastisch klarmachen, daß Zigaretten Ihre Nerven zerstören und nicht beruhigen.

Versuchen Sie einmal, sich vorzustellen, daß Sie an einen Punkt kommen, wo Ihnen ein Arzt sagt, er müsse Ihnen die Beine amputieren, wenn Sie nicht aufhören zu rauchen. Setzen Sie sich einfach einen Moment lang hin und malen Sie sich aus, wie ein Leben ohne Beine wäre. Versuchen Sie sich in die geistige Verfassung eines Menschen hineinzuversetzen, der trotz dieser Warnung tatsächlich weiterraucht und dem dann die Beine amputiert werden.

Ich habe oft derartige Geschichten gehört und sie als absurd abgetan. Ich habe mir sogar gewünscht, ein Arzt würde mir so etwas sagen, dann hätte ich nämlich aufgehört. Und doch wartete ich schon täglich auf den Schlaganfall und darauf, nicht nur meine Beine, sondern mein Leben zu verlieren. Ich betrachtete mich dabei nicht als einen Wahnsinnigen, sondern nur als einen starken Raucher.

Solche Geschichten sind nicht absurd. Das ist genau, was diese schreckliche Droge aus einem Menschen macht. Im

Lauf der Zeit raubt sie Ihnen systematisch Ihre Energie und Ihren Lebensmut. Und je mehr sie Ihnen an Substanz nimmt, desto stärker leiden Sie an der Einbildung, Zigaretten hätten genau die gegenteilige Wirkung.

Wir haben alle von der Panik gehört, die einen Raucher überfällt, wenn er spät abends unterwegs ist und befürchtet, die Zigaretten könnten ihm ausgehen. Nichtraucher leiden nicht an solchen Gefühlen. Die Zigaretten lösen diese Gefühle aus. Sie untergraben nicht nur Ihre Lebensenergie, sondern sind auch ein starkes Gift, das allmählich Ihre körperliche Gesundheit zerstört. Wenn der Raucher einmal das Stadium erreicht, wo ihn das Nikotin tatsächlich umbringt, ist er davon überzeugt, daß nur die Zigaretten ihm Kraft geben und er ohne sie nicht leben kann.

Machen Sie sich ein für allemal klar, daß Zigaretten Ihre Nerven nicht beruhigen, sondern sie langsam, aber sicher zerstören. Und ein unschätzbarer Gewinn, wenn Sie sich das Rauchen abgewöhnen, ist die Rückkehr Ihrer Zuversicht und Ihres Selbstvertrauens.

10 | Langeweile

Sollten Sie in diesem Moment rauchen, hatten Sie Ihre Zigarette wahrscheinlich schon vergessen, bis ich Sie daran erinnert habe. Ein weiterer Irrtum über das Rauchen ist, daß Zigaretten gegen Langeweile helfen. Langeweile ist ein geistiger Zustand. Wenn Sie rauchen, dann lauten Ihre Gedanken nicht ständig: »Ich rauche eine Zigarette. Ich rauche eine Zigarette.« Das passiert nur, wenn Sie Zigaretten lange entbehren mußten oder versuchen, das Rauchen einzuschränken, oder bei den ersten paar Zigaretten nach einem gescheiterten Versuch, das Rauchen aufzugeben.

In Wirklichkeit ist die Situation so: Wenn Sie nikotinsüchtig sind und gerade nicht rauchen, dann fehlt etwas. Wenn Sie etwas haben, was Ihre Gedanken beschäftigt, ohne Sie zu stressen, halten Sie das lange aus, ohne am Nikotinmangel wirklich zu leiden. Wenn Sie sich aber langweilen, dann gibt es nichts, was Sie vom Entzugsstreß ablenkt, also füttern Sie die Bestie. Falls Sie momentan Ihrer Sucht ungehemmt frönen (das heißt, wenn Sie nicht versuchen, das Rauchen aufzugeben oder einzuschränken), wird sogar das Anzünden einer Zigarette unbewußt. Auch Pfeifenraucher und Dreher können ihr Ritual automatisch abspulen. Wenn ein Raucher versucht, sich an die Zigaretten zu erinnern, die er tagsüber geraucht hat, kann er sich nur einen kleinen Teil davon ins Gedächtnis rufen – zum Beispiel die erste des Tages oder die Verdauungszigarette nach dem Essen.

Indirekt steigern Zigaretten sogar die Langeweile, weil sie Sie apathisch machen, und anstatt energisch aktiv zu werden, neigen Raucher dazu, gelangweilt herumzuhocken und ihre Entzugserscheinungen zu lindern.

11 | Konzentration

Zigaretten fördern keineswegs die Konzentration. Das ist nur eine Täuschung.

Wenn Sie versuchen, sich zu konzentrieren, versuchen Sie automatisch, alles auszuschalten, was Sie ablenkt, zum Beispiel, daß Ihnen zu heiß oder zu kalt ist. Der Raucher leidet bereits: Die kleine Bestie verlangt nach Nahrung. Wenn er sich also konzentrieren möchte, denkt er gar nicht weiter nach. Automatisch zündet er sich eine Zigarette an, womit das Verlangen teilweise gestillt ist, macht, was zu machen ist und hat bereits vergessen, daß er raucht.

Zigaretten fördern die Konzentrationsfähigkeit nicht. Sie ruinieren sie eher, denn nach einer Weile melden sich die Entzugserscheinungen wieder. Der Raucher steigert seinen Zigarettenkonsum, das Problem verschärft sich.

Auch aus einem anderen Grund wird das Konzentrationsvermögen beeinträchtigt. Die allmähliche Ablagerung von Giftstoffen in den Arterien und Venen verengt die Blutgefäße, so daß das Gehirn nicht mehr so gut mit Sauerstoff versorgt wird. Machen Sie diesen Prozeß rückgängig, wird sich Ihre Konzentrationsfähigkeit und Inspiration stark verbessern.

Genau am Punkt Konzentration scheiterten meine Versuche, das Rauchen nach der »Methode Willenskraft« aufzugeben. Mit der Gereiztheit und der schlechten Laune wurde ich fertig, aber wenn ich mich wirklich auf etwas Schwieriges konzentrieren mußte, brauchte ich einfach eine Zigarette. Ich kann mich noch gut an meine Panik erinnern, als ich erfuhr, daß ich bei meinem Wirtschaftsprüfer-Examen nicht rauchen durfte. Ich war damals bereits Kettenraucher und davon überzeugt, ich könnte mich nicht drei Stunden lang ohne Zigarette konzentrieren. Trotzdem habe ich die Prüfungen bestanden und erinnere mich auch nicht, dabei überhaupt ans Rauchen gedacht zu haben; als es wirklich um die Wurst ging, machte es mir offensichtlich doch nichts aus. Der Verlust an Konzentrationsvermögen, an dem Raucher bei der Entwöhnung leiden, beruht nicht auf dem tatsächlichen Nikotinentzug. Was macht ein Raucher, wenn er geistig blockiert ist? Wenn er noch nicht raucht, zündet er sich eine Zigarette an. Das beseitigt keinerlei geistige Blockaden; was macht er also? Das, was er tun muß: Er schlägt sich weiter mit seinem

Problem herum, genau wie ein Nichtraucher. Ein Raucher gibt nie den Zigaretten die Schuld an einer Sache. Ein Raucher hat niemals Raucherhusten, sondern ist nur ständig erkältet. Sobald er das Rauchen aufgibt, wird alles, was in seinem Leben schiefgeht, der Tatsache in die Schuhe geschoben, daß er nicht mehr raucht. Wenn er also einmal geistig blockiert ist, beißt er sich nicht einfach weiter durch, sondern fängt an zu überlegen: »Wenn ich mir jetzt nur eine Zigarette anzünden könnte, wäre mein Problem gelöst.« Dann beginnt er, seine Entscheidung, mit dem Rauchen aufzuhören, in Frage zu stellen.

Falls Sie glauben, Rauchen sei eine echte Konzentrationshilfe, dann werden Sie garantiert nicht mehr in der Lage sein, sich zu konzentrieren, wenn Sie sich ständig deswegen Sorgen machen. Die Zweifel, nicht die körperlichen Entzugserscheinungen, verursachen das Problem. Und vergessen Sie nicht: Nur Raucher leiden an Entzugserscheinungen, Nichtraucher nicht.

Nachdem ich meine letzte Zigarette zu Ende geraucht hatte und meinen Zigarettenkonsum von hundert Stück täglich über Nacht einstellte, konnte ich keinerlei Konzentrationsschwierigkeiten feststellen.

12 | Entspannung

Die meisten Raucher glauben, eine Zigarette helfe ihnen, sich zu entspannen. Nikotin ist jedoch ein chemisches Stimulans. Wenn Sie nach zwei Zigaretten Ihren Puls prüfen, werden Sie feststellen, daß er merklich erhöht ist.

Eine der Lieblingszigaretten der meisten Raucher ist die

»Verdauungszigarette« nach einer Mahlzeit. Während der Mahlzeiten lassen wir die Arbeit ruhen, wir setzen uns hin und entspannen uns, essen und trinken uns satt und sind dann rundherum zufrieden. Doch der arme Raucher kann sich nicht entspannen; er muß noch einen anderen Hunger befriedigen. Er hält die Zigarette für das Tüpfelchen auf dem i, doch in Wirklichkeit schreit nur die kleine Bestie nach Nahrung.

Der Nikotinsüchtige kann sich in Wahrheit nie völlig entspannen, und mit den Jahren wird es immer schlimmer.

Die angespanntesten Menschen auf diesem Planeten sind nicht Nichtraucher, sondern fünfzigjährige kettenrauchende Manager, die ständig husten und Schleim spucken, hohen Blutdruck haben und andauernd gereizt sind. In diesem Stadium beseitigen Zigaretten nicht einmal mehr einen Teil der Symptome, die sie erzeugt haben. Ich kann mich noch gut an die Zeiten erinnern, als ich ein junger Wirtschaftsprüfer war und eine Familie gegründet hatte. Es brauchte nur eines meiner Kinder etwas anzustellen, und ich geriet dermaßen in Rage, daß es in keinem Verhältnis zur Missetat stand. Ich fühlte mich wirklich von einem Dämon besessen. Heute weiß ich, daß die Zigaretten dieser Dämon waren. In jener Zeit dachte ich, ich hätte alle Probleme dieser Welt auf dem Bukkel, aber wenn ich heute auf mein Leben zurückblicke, frage ich mich, worin dieser große Streß denn eigentlich bestand. Alles in meinem Leben hatte ich unter Kontrolle. Das einzige, was mich unter Kontrolle hatte, war das Rauchen. Das Traurigste ist, daß ich nicht einmal heute meine Kinder davon überzeugen kann, daß das Rauchen die Ursache meiner Gereiztheit war. Jedesmal, wenn sie hören, wie ein Raucher seine Sucht rechtfertigt, kommt die Botschaft rüber: »Ach, Zigaretten beruhigen mich einfach. Sie helfen mir, mich zu entspannen.«

Vor einigen Jahren drohten die englischen Adoptionsbehörden, sie würden keine Kinder mehr an Raucher zur Adoption freigeben. Ein Mann rief zornentbrannt an. Er sagte: »Sie begehen einen riesigen Irrtum. Ich erinnere mich, daß ich als Kind bei einem Streit mit meiner Mutter immer darauf wartete, daß sie sich eine Zigarette anzündete; sie war dann einfach entspannter.« Warum konnte er nicht mit seiner Mutter reden, wenn sie gerade nicht rauchte? Warum sind Raucher so angespannt, wenn sie nicht rauchen, sogar nach dem Essen im Restaurant? Warum sind Nichtraucher dann völlig entspannt? Warum können sich Raucher ohne Zigarette nicht entspannen? Wenn Sie das nächste Mal im Supermarkt eine junge Mutter sehen, die ihr Kind anbrüllt, beobachten Sie mal, was weiter passiert. Sobald sie zur Tür hinaus ist, wird sie sich eine Zigarette anzünden. Fangen Sie an, Raucher zu beobachten, vor allem in Situationen, in denen sie nicht rauchen dürfen. Sie werden feststellen, daß sie mit den Händen in Gesichtsnähe herumfummeln, mit den Fingern spielen, mit dem Fuß klopfen, an ihren Haaren herumzupfen oder die Zähne zusammenbeißen. Raucher sind nicht entspannt. Sie haben vergessen, wie es ist, wenn man völlig entspannt ist. Das ist eine der vielen Freuden, die ihnen bevorstehen.

Die ganze Raucherei läßt sich mit einer Fliege vergleichen, die in den Blütenkelch einer fleischfressenden Pflanze geraten ist. Anfangs trinkt die Fliege vom Nektar. Von einem unmerklichen Augenblick an beginnt die Pflanze, die Fliege zu fressen. Ist es nicht höchste Zeit, daß Sie aus der Pflanze herausklettern?

13 | Die Kombi-Zigarette

Nein, eine Kombi-Zigarette ist nicht, wenn Sie zwei oder mehr Zigaretten gleichzeitig rauchen. Wenn Ihnen das einmal passiert, beginnen Sie sich zu fragen, warum Sie sich die erste angezündet haben. Einmal habe ich mir den Handrücken verbrannt, als ich mir eine Zigarette in den Mund stecken wollte und schon eine drin war. Das ist gar nicht so dumm, wie es klingt. Wie gesagt beseitigt die Zigarette schließlich die Entzugserscheinungen nicht mehr, und sogar beim Rauchen fehlt einem etwas. Das ist der schreckliche Frust des Kettenrauchers. Wenn er einen Energieschub nötig hätte, raucht er bereits, und daher greifen starke Raucher oft zu anderen Drogen. Doch ich schweife ab.

Eine Kombi-Zigarette ist eine Zigarette, bei der zwei oder mehr unserer üblichen Auslöser mitspielen, zum Beispiel bei gesellschaftlichen Anlässen, Partys, Hochzeiten, Essen im Restaurant. Es handelt sich dabei um Situationen, die sowohl streßbelastet als auch entspannend sind. Das klingt im ersten Moment wie ein Widerspruch, ist es aber nicht. Jede Form des Zusammenseins mit anderen kann Streß bedeuten, sogar mit Freunden, und gleichzeitig möchten Sie sich amüsieren und entspannen.

Es gibt Situationen, bei denen gleichzeitig alle vier Auslöser am Werk sind. Dazu kann das Autofahren gerechnet werden. Falls Sie gerade aus einer Streßsituation herauskommen, wenn Sie zum Beispiel beim Arzt oder Zahnarzt waren, können Sie sich jetzt entspannen. Gleichzeitig bringt der Verkehr immer einen Streßfaktor ins Spiel. Sie riskieren Ihr Leben. Sie müssen sich auch konzentrieren. Vielleicht sind Ihnen die letzten beiden Faktoren nicht bewußt, doch weil sie unbewußt sind, heißt das nicht, daß sie nicht vorhanden wären. Und wenn Sie im Stau stecken oder eine lange Autobahnstrecke hinter sich bringen müssen, langweilen Sie sich vielleicht auch noch.

Ein weiteres klassisches Beispiel ist das Kartenspielen. Wenn es sich um ein Spiel wie Bridge oder Poker handelt, müssen Sie sich konzentrieren. Wenn Sie mehr verlieren, als Sie sich leisten können, stehen Sie unter Streß. Wenn Sie lange keine anständigen Karten bekommen, kann das Spiel langweilig werden. Und das alles geschieht in Ihrer Freizeit, in der Sie sich entspannen wollen. Bei einem Kartenspiel werden alle Mitspieler, auch gelegentliche Raucher, zu Kettenrauchern, egal, wie schwach die Entzugssymptome sind. Im Nu quillt der Aschenbecher über. Über den Köpfen schwebt ständig eine dicke Rauchwolke. Wenn Sie einem der Raucher auf die Schulter klopfen und ihn fragen, ob er die Raucherei genieße, würden Sie zu hören bekommen: »Sie machen wohl Witze!« Nach Nächten wie diesen, wenn einem der Hals beim Aufwachen wie ein Aschenbecher vorkommt, fällt oft der Entschluß, das Rauchen aufzugeben. An diesen Kombi-Zigaretten liegt uns oft viel, wir glauben, daß wir gerade sie am meisten vermissen werden, wenn wir nicht mehr rauchen. Wir glauben, daß wir das Leben nie wieder so richtig genießen können. Doch im Grunde geht es immer um dasselbe Prinzip: Diese Zigaretten lindern lediglich die Entzugserscheinungen, und in bestimmten Momenten ist unser Drang nach Erleichterung größer als in anderen.

Ich möchte das noch einmal ausdrücklich klarstellen. Nicht die Zigarette ist in diesen Fällen etwas Besonderes, sondern der Anlaß. Sobald wir das Bedürfnis nach Zigaretten abgelegt haben, werden wir solche Anlässe mehr genießen, unter Streßsituationen weniger leiden. Das soll im nächsten Kapitel ausführlich erläutert werden.

14 | Was gebe ich auf?

Absolut nichts! Was das Aufgeben für uns so schwer macht, ist unsere Angst. Die Angst vor dem Verlust unseres Vergnügens oder unserer Krücke. Die Angst, daß bestimmte angenehme Situationen nie mehr ganz so angenehm sein werden. Die Angst, mit Streßsituationen nicht mehr fertig zu werden.

Mit anderen Worten, durch Gehirnwäsche wurde uns eingehämmert, daß wir schwach sind, oder daß Zigaretten etwas haben, was wir brauchen, und daß eine Leere da sein wird, wenn wir nicht mehr rauchen.

Machen Sie sich eines klar: **Zigaretten füllen keine Leere. Sie schaffen sie!**

Unsere Körper sind das Subtilste, was es auf diesem Planeten gibt. Ob Sie nun an einen Schöpfer glauben, an den Vorgang natürlicher Selektion oder an eine Kombination von beiden, das Wesen oder System, das unseren Körper ersonnen hat, arbeitet tausendmal effektiver als der Mensch! Der Mensch kann nicht die kleinste lebende Zelle erschaffen, geschweige denn das Wunder der Sehfähigkeit, Fortpflanzung, des Kreislaufs oder Gehirns nachvollziehen. Wenn der Schöpfer oder das Schöpfungssystem beabsichtigt hätte, daß wir rauchen, wären wir mit einem Filter ausgestattet worden, der unser Körper vor den Giften schützt, und mit irgendeiner Art Schornstein.

Doch ganz im Gegenteil verfügt unser Körper über Sicherheits- und Warnvorrichtungen, zum Beispiel Husten, Schwindelgefühle, Übelkeit usw., die wir leichtfertig ignorieren.

Die wunderbare Wahrheit heißt: Es gibt gar nichts, was wir aufzugeben hätten. Sobald Sie Ihren Körper von der kleinen

Bestie und Ihren Kopf von der Gehirnwäsche befreien, werden Sie weder das Verlangen noch das Bedürfnis nach Zigaretten verspüren.

Zigaretten verfeinern kein Essen. Sie ruinieren es. Sie zerstören Ihren Geschmacks- und Geruchssinn. Beobachten Sie im Restaurant die Raucher, die zwischen den Gängen eines Menüs rauchen. Sie genießen ihr Essen gar nicht; sie können es kaum erwarten, bis es vorbei ist, weil es den Zigaretten in die Quere kommt. Viele von ihnen rauchen, obwohl sie wissen, daß die Nichtraucher daran Anstoß nehmen. Raucher sind im allgemeinen keine rücksichtslosen Rambos; sie fühlen sich ohne Zigarette nur so elend. Entweder verzichten sie aufs Rauchen und es geht ihnen deshalb schlecht, oder sie rauchen, und es geht ihnen schlecht, weil sie andere damit belästigen, Schuldgefühle bekommen und sich verachten. Beobachten Sie Raucher bei offiziellen Anlässen, wenn sie endlose Reden abwarten müssen, bis endlich zugeprostet wird. Viele leiden plötzlich an Blasenschwäche und schleichen hinaus, um verstohlen zu qualmen. In solchen Momenten verrät sich das Rauchen als echte Sucht. Raucher rauchen nicht, weil es ein Genuß für sie ist. Sie rauchen, weil sie sich ohne Zigarette elend fühlen.

Weil gesellige Anlässe für viele von uns den Anstoß zur ersten Zigarette gaben, gelangen wir zu der Überzeugung, wir könnten gesellige Anlässe ohne Zigarette nicht genießen. Das ist Unsinn. Tabak raubt uns unser Selbstvertrauen. Am Verhalten von Frauen läßt sich am besten erkennen, welche Angst das Rauchen erzeugt. Praktisch alle Frauen legen großen Wert auf ihre äußere Erscheinung. Es liegt ihnen viel daran, bei offiziellen Anlässen tadellos zurechtgemacht und angenehm duftend zu erscheinen. Doch das Wissen, daß ihr Atem wie ein alter Aschenbecher riecht, scheint sie nicht im geringsten abzuschrecken. Ich weiß, daß der Gestank sie sehr stört – viele hassen den Geruch ihrer eigenen Haare und Kleider –, doch er hält sie nicht vom Rauchen ab. So groß ist die Angst, die diese fürchterliche Droge im Raucher hervorruft.

Zigaretten sind bei geselligen Anlässen keine Hilfe, sondern ein Hindernis. Sie müssen in der einen Hand Ihren Drink halten, in der anderen die Zigarette; Sie müssen versuchen, die Asche und den ständigen Fluß der Kippen loszuwerden, Ihrem Gesprächspartner den Rauch nicht ins Gesicht zu blasen; dabei fragen Sie sich auch noch, ob er Ihren Mundgeruch bemerkt oder die Flecken auf Ihren Zähnen sieht.

Es gibt nicht nur nichts, was Sie aufgeben müßten; Sie haben wunderbare Dinge zu gewinnen. Wenn Raucher Überlegungen anstellen, ob sie das Rauchen aufgeben sollen, denken sie meist an Gesundheit, Finanzielles und die soziale Ächtung. Das sind offensichtlich schwerwiegende und wichtige Argumente, doch persönlich bin ich der Meinung, daß der größte Gewinn psychologischer Natur ist, unter anderem:

1. Die Rückkehr Ihres Selbstvertrauens und Elans.
2. Befreiung aus der Selbstversklavung.
3. Das Verschwinden der schwarzen Schatten aus Ihrem Hinterkopf, die Ihr Leben verdüstern, weil Sie wissen, daß Sie von der Hälfte der Menschheit verachtet werden und, schlimmer noch, sich selbst verachten.

Als Nichtraucher hat man nicht nur ein besseres Leben, sondern genießt es auch viel mehr. Ich meine nicht nur, daß Sie dann gesünder und finanziell besser gestellt sind. Ich meine, daß Sie glücklicher sein und am Leben viel mehr Spaß haben werden. Die wunderbaren positiven Seiten des Nicht-Rauchens werde ich in den nächsten Kapiteln erläutern.

Manchen Rauchern fällt es schwer, die Sache mit der »Leere« nachzuvollziehen; vielleicht hilft ihnen der folgende

Vergleich. Stellen Sie sich vor, Sie bekämen Herpes im Gesicht. Ich habe diese wunderbare Salbe. Ich sage zu Ihnen: »Probieren Sie's mal damit.« Sie tragen die Salbe auf, und das Geschwür verschwindet sofort. Eine Woche später taucht es wieder auf. Sie fragen: »Haben Sie noch mehr von dieser Salbe?« Ich biete Ihnen an: »Behalten Sie die Tube. Vielleicht brauchen Sie sie noch.« Sie cremen sich damit ein. Hokuspokus! Das Geschwür verschwindet wieder. Jedesmal, wenn es erneut auftritt, wird es größer und schmerzhafter, die Zeitabstände werden kürzer. Schließlich überzieht das Geschwür Ihr ganzes Gesicht und bereitet Ihnen qualvolle Schmerzen. Es kommt alle halbe Stunde wieder. Sie wissen, daß die Salbe es vorübergehend beseitigt, doch Sie machen sich große Sorgen. Wird sich das Geschwür schließlich über Ihren ganzen Körper ausbreiten? Werden die symptomfreien Atempausen schließlich ganz verschwinden? Sie gehen zu Ihrem Arzt. Er kann das Geschwür nicht heilen. Sie probieren andere Dinge aus, aber nichts hilft außer dieser Wundersalbe.

Inzwischen sind Sie völlig von dieser Salbe abhängig. Sie gehen nie aus, ohne eine Tube der Salbe einzustecken. Wenn Sie verreisen, packen Sie mehrere Tuben ein. Sie machen sich jetzt nicht nur Sorgen über Ihre Gesundheit, sondern haben auch finanzielle Probleme, denn ich verlange dreihundert Mark für die Tube. Es bleibt Ihnen nichts übrig, als diesen Preis zu zahlen.

Dann lesen Sie in der Medizinkolumne Ihrer Zeitung, daß nicht nur Sie von diesem Geschwür befallen sind; vielen anderen Menschen geht es genauso. Die Pharmakologen haben entdeckt, daß die Salbe das Geschwür nicht wirklich heilt, sondern nur unter die Hautoberfläche verdrängt. Die Salbe verursacht sogar die Ausbreitung des Geschwürs. Um das Geschwür auszuheilen, brauchen Sie nur aufzuhören, sich mit der Salbe einzucremen. Mit der Zeit wird das Geschwür dann von selbst abklingen.

Würden Sie die Salbe weiterhin anwenden?

Müßten Sie Willenskraft aufbringen, um sich nicht damit einzucremen? Wenn Sie von dem Artikel nicht ganz überzeugt wären, hätten Sie einige Tage lang Bedenken, doch sobald Sie merken, daß das Geschwür zu heilen beginnt, würde Ihr Bedürfnis, sich mit der Salbe Linderung zu verschaffen, aufhören.

Ginge es Ihnen schlecht dabei? Natürlich nicht. Sie litten an einem furchtbaren Problem, das Sie für unlösbar hielten. Jetzt haben Sie die Lösung gefunden. Sogar wenn es ein Jahr dauerte, bis das Geschwür vollständig ausheilte, würden Sie jeden Tag die Besserung verfolgen und denken: »Ist es nicht wunderbar? Ich werde nicht sterben.«

Das war das Wunder, das sich bei mir ereignete, als ich jene letzte Zigarette ausdrückte. Eins möchte ich bei dem Vergleich mit dem Geschwür und der Salbe klarstellen. Das Geschwür ist nicht der Lungenkrebs, die Arterienverkalkung, das Emphysem, die Angina, das chronische Asthma, die Bronchitis oder die Erkrankung der Herzkranzgefäße. Sie sind alle Dreingaben zum Geschwür. Es sind auch nicht die Tausende von Mark, die wir verbrennen, oder der lebenslange schlechte Atem und die fleckigen Zähne, die Schlappheit, das Husten und Um-Luft-Ringen, die Jahre, in denen wir uns selber die Luft abdrehen und uns wünschten, wir täten es nicht, die Male, wenn wir echt leiden, weil wir nicht rauchen dürfen. Es ist auch nicht die lebenslange Verachtung, die andere Menschen, oder schlimmer noch, wir selbst für uns empfinden. Das sind alles Dreingaben zum Geschwür. Das Geschwür ist das, was uns die Augen vor all diesen Dingen verschließt. Es ist dieses panische Gefühl: »Ich brauche eine Zigarette.« Nichtraucher leiden nicht an diesem Gefühl. Das

Schlimmste, woran ein Raucher leidet, ist diese Angst, und der größte Gewinn, der ihm in den Schoß fällt, ist die Befreiung von dieser Angst.

Es war, als hätte sich plötzlich ein dicker Nebel aus meinem Kopf verflüchtigt. Ich konnte klar erkennen, daß dieses panische Verlangen nach einer Zigarette keine Schwäche von mir war oder auf irgendeiner magischen Eigenschaft beruhte. Es war von der ersten Zigarette ausgelöst worden, und jede weitere Zigarette, die ich rauchte, verstärkte dieses Gefühl nur noch, anstatt mich davon zu befreien. Gleichzeitig erkannte ich, daß alle anderen glücklichen Raucher denselben Alptraum durchmachten wie ich. Er war nicht so schlimm wie meiner, aber alle gaben sich redliche Mühe, sich Scheinargumente aus den Fingern zu saugen, um ihre Dummheit zu rechtfertigen.

Dabei ist es so schön, frei zu sein!

15 | Selbstversklavung

Wenn Raucher das Rauchen aufgeben, hat das meist drei Gründe zur Ursache: ihre Gesundheit, finanzielle Erwägungen und soziale Ächtung. Die Selbstversklavung ist Bestandteil der Gehirnwäsche, die diese Schreckensdroge bei uns bewirkt. Im letzten Jahrhundert wurde hart um die Abschaffung der Sklaverei gekämpft, und doch leidet der Raucher sein Leben lang unter selbst auferlegter Sklaverei. Er verdrängt die Tatsache, daß er sich sein ganzes Raucherdasein lang wünscht, er wäre ein Nichtraucher. Bei den meisten Zigaretten, die wir im Leben rauchen, empfinden wir nicht nur keinen Genuß, wir merken nicht einmal, daß wir sie rauchen.

Erst nach einer gewissen Zeit der Enthaltsamkeit überkommt uns tatsächlich die Illusion, daß wir Zigaretten genießen (zum Beispiel die erste am Morgen, die Zigarette nach dem Essen usw.).

Zigaretten werden nur kostbar, wenn wir versuchen, unseren Zigarettenkonsum einzuschränken oder aufzugeben, oder wenn uns die Gesellschaft dazu zwingt (zum Beispiel in der Kirche, in Krankenhäusern, Supermärkten, Theatern usw.).

Der eingefleischte Raucher sollte sich bewußt sein, daß der Trend dahin geht, das Rauchverbot immer stärker auszuweiten. Heute gilt es schon für die U-Bahn. Morgen für alle öffentlichen Einrichtungen.

Vorbei sind die Zeiten, als der Raucher das Haus eines Freundes oder eines Fremden betreten und fragen konnte: »Stört es, wenn ich rauche?« Heute wird der arme Raucher, der in ein fremdes Haus kommt, verzweifelt nach einem Aschenbecher Ausschau halten und hoffen, daß er Kippen darin entdeckt. Findet er keinen Aschenbecher, wird er versuchen, es ohne Zigaretten auszuhalten. Schafft er das nicht, wird er um Erlaubnis bitten, ob er rauchen darf, und muß mit einer Antwort rechnen wie: »Rauchen Sie, wenn es unbedingt sein muß«, oder »Nun, es wäre uns lieber, Sie würden nicht rauchen. Der Geruch scheint sich so festzusetzen.«

Der arme Raucher, der sich ohnehin schon wie ein armes Würstchen fühlte, möchte dann am liebsten im Erdboden versinken.

Ich erinnere mich an meine Raucherzeiten, als jeder Kirchgang für mich eine Qual war. Sogar bei der Hochzeit meiner eigenen Tochter, als ich als stolzer Vater hätte dastehen sollen – was tat ich da? Ich dachte: »Hoffentlich haben wir's bald hinter uns, damit wir an die frische Luft kommen und uns eine anstecken können.«

Es ist hilfreich, Raucher in solchen Situationen zu beobachten. Sie klucken zusammen. Nie wird nur ein Päckchen hervorgeholt. Zwanzig Päckchen werden herumgereicht, und das Gespräch ist immer das gleiche.

»Rauchen Sie?«

»Ja, aber nehmen Sie doch eine von mir.«

»Ich rauche später eine von den Ihren.«

Sie zünden sich die Zigaretten an und ziehen lange daran; sie denken: »Haben wir ein Glück! Wir haben unsere kleine Belohnung. Der arme Nichtraucher hat keine Belohnung.«

Der arme Nichtraucher braucht keine Belohnung. Wir sind nicht dazu geschaffen, um unseren Körper ein Leben lang systematisch zu vergiften. Das Traurige ist, daß der Raucher nicht einmal dann, wenn er eine Zigarette raucht, dieses Gefühl des inneren Friedens, Selbstvertrauens und der Ruhe erlangt, das der Nichtraucher schon sein ganzes Nichtraucherleben lang hat. Der Nichtraucher sitzt nicht nervös in der Kirche und wünscht sich, daß die Zeit vergeht. Er kann sein ganzes Leben genießen.

Ich kann mich auch erinnnern, wie ich im Winter in einer Halle Bowling gespielt habe und so tat, als hätte ich eine schwache Blase, damit ich hinausschlüpfen und eine rauchen konnte. Nein, ich war damals kein vierzehnjähriger Schuljunge, sondern ein vierzig Jahre alter Steuerprüfer. Wie jämmerlich. Und sogar, wenn ich mitspielte, konnte ich das Spiel nicht genießen. Ich freute mich schon aufs Ende, damit ich wieder rauchen konnte, obwohl es doch mein Lieblingshobby war, bei dem ich mich entspannen sollte. Für mich ist eine der größten Freuden des Nichtraucherdaseins die Freiheit von jener Sklaverei, die Fähigkeit, mein ganzes Leben zu genießen, anstatt die Hälfte mit der Gier nach einer Zigarette zu verbringen und mir, sobald ich eine anzündete, zu wünschen, ich bräuchte es nicht zu tun.

Wenn sich Raucher im Haus oder sogar nur in Gesellschaft von Nichtrauchern befinden, sollten sie sich ins Gedächtnis rufen, daß nicht der selbstgerechte Nichtraucher ihnen ihr Vergnügen vermiest, sondern die »kleine Bestie«.

16 | Ich spare x Mark die Woche

Ich kann nicht zu oft wiederholen, daß es uns so schwerfällt, mit dem Rauchen aufzuhören, weil wir einer gründlichen Gehirnwäsche unterzogen wurden, und je besser Sie vorher die Ihnen eingepflanzten Irrtümer durchschauen, desto einfacher werden Sie Ihr Ziel erreichen können.

Gelegentlich habe ich eine Auseinandersetzung mit Leuten, die ich als eingefleischte Raucher bezeichne. Ich verstehe darunter jemand, der sich das Rauchen leisten kann, nicht glaubt, daß er damit seiner Gesundheit schadet und sich nicht um die soziale Ächtung kümmert. (Von dieser Sorte gibt es heute nicht mehr viele.)

Wenn er noch jung ist, sage ich zu ihm: »Ich kann nicht glauben, daß Ihnen egal ist, wieviel Geld Sie dafür hinauswerfen.« An diesem Punkt leuchten seine Augen auf. Hätte ich ihn mit dem Argument seiner Gesundheit oder der sozialen Ächtung angegriffen, hätte er sich im Nachteil gefühlt, doch Geld – »Ach, das kann ich mir schon leisten. Es sind nur x Mark die Woche, und das ist es mir wert. Es ist mein einziges Laster oder Vergnügen«, usw. Wenn er eine Schachtel am Tag raucht, sage ich zu ihm: »Ich kann immer noch nicht glauben, daß die Ausgaben Sie völlig kaltlassen. Sie werden in Ihrem Leben an die hunderttausend Mark dafür ausgeben. Was machen Sie mit diesem Geld? Sie zünden es nicht einmal an oder werfen es weg. Sie verwenden es, um systematisch Ihre Gesundheit zu ruinieren, um Ihren Lebensmut und Ihr Selbstvertrauen zu zerstören, um sich lebenslänglich zu versklaven, um sich lebenslänglich schlechten Atem und fleckige Zähne einzuhandeln. Das muß Ihnen doch Sorgen machen?«

An diesem Punkt wird es offensichtlich, vor allem bei jungen Rauchern, daß sie noch nie die Ausgaben für ihr ganzes Leben zusammengerechnet haben. Die meisten Raucher finden eine Schachtel schon teuer genug. Gelegentlich rechnen wir uns aus, was wir in einer Woche ausgeben – eine beunruhigende Summe. Nur sehr gelegentlich (und nur, wenn wir ans Aufhören denken) schätzen wir, was wir in einem Jahr dafür ausgeben, und das ist wirklich erschreckend, doch ein ganzes Leben lang – das ist einfach unvorstellbar.

Doch weil wir eine Auseinandersetzung führen, wird der eingefleischte Raucher sagen: »Ich kann mir das leisten. Es ist nur soundso viel die Woche.«

Dann sage ich: »Ich werde Ihnen ein Angebot machen, das Sie nicht ablehnen können. Sie zahlen mir jetzt fünftausend Mark, und ich werde Sie lebenslänglich mit kostenlosen Zigaretten versorgen.« Hätte ich mich erboten, eine Hypothek über hunderttausend Mark für fünftausend Mark zu übernehmen, hätte mich der Raucher sofort unterschreiben lassen, daß ich es ernst meine. Doch nicht ein einziger der eingefleischten Raucher (bitte vergessen Sie nicht, daß ich jetzt nicht von Ihresgleichen rede, der aufhören möchte, sondern von jemand, der keinerlei Absicht hat, das Rauchen aufzugeben) hat mich jemals auf dieses Angebot festgenagelt. Warum nicht?

Wenn ich bei meiner Beratung an dieser Stelle angelangt bin, sagt der Raucher: »Schauen Sie, über den finanziellen Aspekt mache ich mir nicht wirklich Gedanken.« Wenn auch Sie so denken, sollten Sie sich fragen, warum Sie sich darüber keine Gedanken machen. Warum nehmen Sie bei anderen

Dingen so manche Mühe auf sich, um hier und da ein paar Mark zu sparen, und geben ohne mit der Wimper zu zucken Tausende aus, um sich selbst zu vergiften? Die Antwort auf diese Fragen ist folgende. Jede andere Entscheidung in Ihrem Leben beruht auf einem analytischen Prozeß, bei dem Sie das Für und Wider abwägen und zu einem rationalen Schluß gelangen. Er mag falsch sein, doch wenigstens ist er das Ergebnis logischer Überlegungen. Wenn ein Raucher das Für und Wider des Rauchens abwägt, heißt die Schlußfolgerung tausendmal: »**Hör auf zu rauchen! Du bist ein Trottel!**« Ein Raucher raucht also nicht, weil er es will oder sich dazu entschlossen hat, sondern weil er sich einbildet, er könne nicht aufhören. Er verpaßt sich selbst eine gehörige Gehirnwäsche. Es bleibt ihm keine andere Wahl, als den Kopf in den Sand zu stecken.

Seltsamerweise schließen Raucher untereinander oft einen Pakt ab, wie: »Der erste, der aufhört, zahlt dem anderen zweihundert Mark.« Doch daß sie nach dem Aufhören Tausende von Mark sparen werden, scheint sie gar nicht zu berühren. Das alles sind die Auswirkungen der Gehirnwäsche auf den Raucher.

Reiben Sie sich doch nur einen Augenblick lang den Sand aus den Augen. Das Rauchen ist eine Kettenreaktion, die Sie ein Leben lang an die Kette legt. Wenn Sie die Kette nicht sprengen, werden Sie den Rest Ihres Lebens ein Raucher bleiben. Jetzt schätzen Sie einmal, wieviel Sie in etwa den Rest Ihres Lebens für Zigaretten ausgeben werden. Der Betrag hängt offensichtlich vom einzelnen ab, doch um der Übung willen nehmen wir einmal an, daß es dreißigtausend Mark sind.

In Kürze werden Sie die Entscheidung treffen, Ihre letzte Zigarette zu rauchen (jetzt noch nicht, bitte – erinnern Sie sich an die Anweisungen am Anfang dieses Buches). Alles, was Sie dann tun müssen, um ein Nichtraucher zu bleiben, ist, nicht ein zweites Mal in die Falle zu tappen. Das heißt, die berühmte erste Zigarette nicht mehr zu rauchen. Wenn Sie das tun, kostet Sie das nämlich dreißigtausend Mark.

Falls Sie finden, die Sache so zu betrachten sei wohl etwas verzerrt, dann gaukeln Sie sich immer noch selbst etwas vor. Rechnen Sie sich doch einfach einmal aus, wieviel Geld Sie in diesem Moment bereits gespart hätten, wenn Sie Ihre erste Zigarette nicht geraucht hätten.

Kommt Ihnen das Argument schlüssig vor, dann überlegen Sie, wie Sie sich fühlen würden, wenn Ihnen morgen ein Scheck über dreißigtausend Mark ins Haus geflattert käme. Sie würden vor Freude tanzen! Fangen Sie also ruhig schon zu tanzen an! Eine solche Summe wird Ihnen gleich in den Schoß fallen, und das ist nur eines der vielen wunderbaren Geschenke, die auf Sie warten.

Während der Entwöhnungszeit werden Sie in Versuchung kommen, nur noch eine einzige letzte Zigarette zu rauchen. Sie werden ihr leichter widerstehen können, wenn Sie sich ins Gedächtnis rufen, daß Sie das dreißigtausend Mark kosten wird (oder wie hoch auch immer Ihre Schätzung ist)!

Jahrelang habe ich mein Angebot in Fernseh- und Radiosendungen wiederholt. Ich kann es immer noch nicht glauben, daß kein einziger eingefleischter Raucher es je angenommen hat. Einige Mitglieder meines Golfclubs ziehe ich jedesmal damit auf, wenn ich sie über eine Erhöhung der Tabakpreise jammern höre. Eigentlich habe ich Angst, daß mich einer doch einmal darauf festnageln wird, wenn ich allzu hämisch werde. Ich würde ein Vermögen dabei verlieren.

Falls Sie glückliche, fröhliche Raucher kennen, die Ihnen erzählen, welchen Genuß das Rauchen für sie beinhalte, sagen Sie ihnen doch einfach, Sie kennen einen Idioten, der einen lebenslänglich mit kostenlosen Zigaretten versorgt, falls man ihm das Geld, das man ein Jahr lang für Tabak ausgibt, im voraus bezahlt. Vielleicht können Sie jemand für mich finden, der das Angebot aufgreift?

17 | Gesundheit

Auf diesem Gebiet ist die Gehirnwäsche am wirkungsvollsten. Die Raucher meinen, ihnen seien die Risiken für ihre Gesundheit bewußt. Das stimmt nicht.

Das gilt auch für mich. Als ich damals damit rechnete, in meinem Kopf könne jeden Augenblick eine Explosion stattfinden, und ehrlich daran glaubte, ich sei bereit, die Konsequenzen auf mich zu nehmen, machte ich mir etwas vor.

Wenn ich in jenen Tagen eine Zigarette aus der Schachtel genommen hätte und ein rotes Lämpchen aufgeblinkt hätte, worauf eine warnende Stimme ertönt wäre: »Okay, Allen, diese Zigarette ist der Tropfen, der das Faß zum Überlaufen bringt. Zum Glück wirst du vorgewarnt, was hiermit geschieht. Bis jetzt bist du davongekommen, aber wenn du noch eine einzige Zigarette rauchst, dann explodiert dir der Schädel!« Was, glauben Sie, hätte sich ereignet! Der Griff zur nächsten Zigarette!

Falls Sie wegen der Antwort im Zweifel sind, gehen Sie doch einmal zu einer verkehrsreichen Hauptstraße, stellen Sie sich mit geschlossenen Augen an den Randstein und versuchen sich vorzustellen, Sie stünden jetzt vor der Wahl, entweder das Rauchen aufzugeben oder mit verbundenen Augen diese Straße zu überqueren, bevor Sie die nächste Zigarette nehmen dürfen.

Es steht außer Frage, wofür Sie sich entscheiden würden.

Ich habe gemacht, was jeder Raucher sein ganzes Leben lang macht: Ich habe mein Hirn abgeschaltet und den Kopf in den Sand gesteckt, in der Hoffnung, ich würde eines Morgens aufwachen und Zigaretten verabscheuen. Raucher können es sich nicht erlauben, an die Gesundheitsrisiken zu denken. Tun sie es doch, dann verfliegt sogar die Illusion des Genusses.

Das erklärt, warum Schockfilme so wenig Erfolg haben. Nur Nichtraucher können sich dazu überwinden, diese Filme anzuschauen. Das erklärt auch, warum Raucher sich so gut an Onkel Alfred erinnern, der vierzig Zigaretten am Tag qualmte und achtzig wurde, aber die Tausende von Menschen ignorieren, die in der Blüte ihres Lebens vom Nikotin dahingerafft werden.

Etwa sechsmal die Woche habe ich mit Rauchern, meist jüngeren, folgendes Gespräch:

Ich:	Warum wollen Sie nicht aufhören?
Raucher:	Ich kann es mir nicht erlauben.
Ich:	Machen Sie sich keine Sorgen wegen Ihrer Gesundheit?
Raucher:	Nein. Ich könnte morgen von einem Bus überfahren werden.
Ich:	Würden Sie sich absichtlich vor einen Bus werfen?
Raucher:	Natürlich nicht.
Ich:	Machen Sie sich beim Überqueren einer Straße die Mühe, nach links und rechts zu schauen?
Raucher:	Selbstverständlich.

Genau. Der Raucher verwendet große Sorgfalt darauf, nicht unter die Räder zu kommen, und die Wahrscheinlichkeit, daß es doch passiert, ist eins zu mehreren Hunderttausend. Dennoch nimmt der Raucher das fast an Gewißheit grenzende

Risiko einer Nikotinschädigung auf sich und scheint blind für die gesundheitlichen Gefahren zu sein. So stark ist der Einfluß der Gehirnwäsche. Ich erinnere mich an einen berühmten britischen Golfspieler, der nicht an amerikanischen Turnieren teilnahm, weil er Angst vor dem Fliegen hatte. Trotzdem zog er kettenrauchend über den Golfplatz. Ist es nicht seltsam, daß wir kein Flugzeug besteigen würden, an dem wir den geringsten technischen Fehler vermuten, obwohl das Risiko eines Absturzes eins zu mehreren Hunderttausend steht, bei der Zigarette aber ein Risiko von eins zu vier in Kauf nehmen und diese Tatsache anscheinend völlig verdrängen? Und was hat der Raucher davon?

Absolut nichts!

Eine weitverbreitete Legende übers Rauchen betrifft den Raucherhusten. Viele der jüngeren Leute, die mich aufsuchen, machen sich keine Sorgen über ihre Gesundheit, weil sie nicht husten. Das Gegenteil wäre angebracht. Der Husten ist eines der Sicherheitssysteme der Natur, das Fremdstoffe aus den Lungen herausbefördert. Der Husten selbst ist keine Krankheit, sondern ein Symptom. Wenn Raucher husten, dann deswegen, weil ihre Lungen versuchen, die krebsauslösenden Teer- und Giftstoffe auszustoßen. Wenn sie nicht husten, bleiben diese Stoffe in den Lungen hängen und können dort Krebs erzeugen.

Stellen Sie sich die Sache einfach einmal so vor. Sie haben ein hübsches Auto und lassen es vor sich hinrosten, ohne etwas dagegen zu tun. Das wäre ziemlich dumm, weil Ihr Auto bald nur noch ein Schrotthaufen wäre und Sie nicht mehr befördern könnte. Trotzdem wäre das nicht das Ende der Welt; es ist nur eine Frage des Geldes, und Sie könnten sich immer noch ein neues kaufen. Ihr Körper ist das Vehikel, das Sie durchs Leben befördert. Wir alle behaupten, Gesundheit sei unser höchstes Gut. Wie wahr das ist, wird Ihnen jeder kranke Millionär bestätigen. Die meisten von uns können auf irgendeine Krankheit oder einen Unfall zurückblicken, bei denen wir um Heilung gebetet haben. (**Wie schnell wir vergessen**).

Wenn Sie rauchen, lassen Sie Ihr Vehikel nicht nur Rost ansetzen, ohne etwas dagegen zu tun; Sie zerstören systematisch das Gefährt, das Sie nötig haben, um durchs Leben zu kommen, und Sie erhalten nur eins davon.

Kommen Sie zur Vernunft! Keiner zwingt Sie zu rauchen, und denken Sie dran: **Es bringt Ihnen absolut nichts.**

Heben Sie nur einen Moment lang den Kopf aus dem Sand und überlegen Sie: Wenn Sie ganz sicher wüßten, daß die nächste Zigarette diejenige wäre, die in Ihrem Körper Krebs auslöst, würden Sie sie dann wirklich rauchen? Vergessen Sie die Krankheit (die man sich nur schwer vorstellen kann), doch malen Sie sich aus, wie Sie in eine Krebsklinik kämen und diese furchtbaren Tests über sich ergehen lassen müßten – Strahlenbehandlung usw. Sie planen jetzt nicht Ihr restliches Leben; Sie planen Ihren Tod. Was wird mit Ihrer Familie geschehen und denen, die Sie lieben, was mit Ihren Plänen und Träumen?

Ich sehe oft Menschen, denen es passiert ist. Sie dachten nicht, daß gerade ihnen das zustoßen würde, und das Schlimmste ist nicht die Krankheit selbst, sondern das Wissen, daß sie selbst sie verschuldet haben. Unser ganzes Raucherleben lang sagen wir: »Ich werde morgen aufhören.« Versuchen Sie sich vorzustellen, wie sich die Leute fühlen, die schließlich den Auslöser gedrückt haben. Für sie ist es vorbei mit der Gehirnwäsche. Sie sehen ihre Gewohnheit als das, was sie wirklich ist, und verbringen den Rest ihres Lebens damit, darüber nachzugrübeln: »Warum habe ich mir vorgegaukelt, ich müßte unbedingt rauchen? Wenn ich die Uhr nur zurückdrehen könnte!«

Am Anfang des Buches habe ich Ihnen versprochen, Ihnen eine Schockbehandlung zu ersparen. Wenn Sie bereits beschlossen haben, mit dem Rauchen aufzuhören, ist das folgende auch keine Schockbehandlung für Sie. Wenn Sie immer noch im Zweifel sind, überspringen Sie den Rest dieses Kapitels und lesen es erst zu Ende, wenn Sie das ganze Buch fertiggelesen haben.

Bände von Statistiken sind über die Schäden geschrieben worden, die Zigaretten der Gesundheit zufügen können. Das Problem besteht darin, daß der Raucher gar nichts davon wissen will, wenn er noch nicht beschlossen hat, das Rauchen aufzugeben. Sogar der gesetzlich vorgeschriebene Warnhinweis ist eine Zeitverschwendung, weil sich der Raucher Scheuklappen umlegt, und wenn er ihn doch versehentlich liest, zündet er sich zur Beruhigung gleich eine an. Raucher neigen zu der Annahme, die gesundheitliche Gefährdung sei etwas, was einen trifft oder nicht trifft, wie wenn man auf eine Mine steigt. Machen Sie sich eines klar: Es passiert schon eben in diesem Augenblick. Jedesmal, wenn Sie an einer Zigarette ziehen, inhalieren Sie krebsauslösende Teerstoffe in Ihre Lunge, und Krebs ist keineswegs der schlimmste Killer, der mit Nikotin zusammenhängt – da sind auch noch Herzerkrankungen, Arteriosklerose, Emphyseme, Angina, Thrombosen, chronische Bronchitis und Asthma.

Raucher leiden auch an der Täuschung, daß die katastrophalen Auswirkungen des Rauchens übertrieben werden. Das Gegenteil ist wahr. Es besteht kein Zweifel, daß Zigaretten in der westlichen Gesellschaft die Todesursache Nummer eins sind. Nur wird in vielen Fällen, in denen Zigaretten den Tod verursachen oder mitverursacht haben, nicht das Rauchen dafür verantwortlich gemacht oder statistisch erfaßt.

Es gibt Schätzungen, denen zufolge vierundvierzig Prozent der Hausbrände durch Zigaretten ausgelöst werden, und ich frage mich, wie viele Verkehrsunfälle aufs Konto der Zigaretten gehen, auf jenen Bruchteil einer Sekunde, wenn Sie den Verkehr aus dem Blick verlieren, weil Sie sich eine anzünden müssen.

Normalerweise fahre ich vorsichtig, doch nie bin ich dem Tod näher gekommen (außer durch das Rauchen selbst), als damals, als ich beim Fahren versuchte, mir eine Zigarette zu drehen; und ich erinnere mich nur äußerst widerwillig an die vielen Male, als ich mir eine Zigarette beim Fahren aus dem Mund gehustet habe – sie schien immer zwischen die Sitze zu fallen. Ich bin sicher, daß viele Raucher beim Fahren dasselbe gemacht haben, nämlich mit einer Hand nach der brennenden Zigarette getastet, während sie mit der anderen zu steuern versuchten.

Die Gehirnwäsche hat den Effekt, daß wir genauso denken wie jener Mann, der von einem hundertstöckigen Gebäude stürzt. Während er am fünfzigsten Stock vorbeifällt, hört man ihn sagen: »So weit, so gut!« Wir denken, wenn wir bislang davongekommen sind, wird uns eine weitere Zigarette schon nicht schaden.

Versuchen Sie es andersherum zu betrachten. Die »Gewohnheit« ist eine lebenslange Kette, jede Zigarette erzeugt das Bedürfnis nach der nächsten. Wenn Sie damit anfangen, setzen Sie eine Zündschnur in Brand. Das Problem ist, daß Sie nicht wissen, wie lang die Zündschnur ist. Jedesmal, wenn Sie eine Zigarette anzünden, kommen Sie der Explosion der Bombe einen Schritt näher. WOHER WISSEN SIE, OB SIE NICHT BEI DER NÄCHSTEN EXPLODIERT?

18 | Energie

Die meisten Raucher sind sich klar darüber, daß sie ihre Lungen einteeren, aber nicht über die allgemeine Schlappheit, die das Rauchen verursacht.

Der Raucher verstopft nicht nur seine Lungen, sondern nach und nach auch seine Venen und Arterien mit Giftstoffen wie Nikotin, Kohlenmonoxid und anderen.

Lungen und Blutkreislauf transportieren Sauerstoff und andere Nährstoffe zu den verschiedenen Organen und Muskeln unseres Körpers. Der Raucher entzieht jedem Muskel und Organ seines Körpers immer mehr Sauerstoff, so daß sie täglich weniger gut funktionieren, und er wird nicht nur jeden Tag schlapper; auch seine Abwehrkräfte gegen andere Erkrankungen nehmen ab.

Weil das alles so langsam und allmählich vor sich geht, merkt der Raucher nicht, was passiert. Jeden Tag fühlt er sich nicht anders als am Vortag. Weil er sich nicht krank fühlt, glaubt er, er ist deshalb andauernd schlapp, weil er eben alt wird.

Nachdem ich als Jugendlicher sehr fit gewesen war, lebte ich gut dreißig Jahre in ständiger Müdigkeit. Ich dachte, nur Kinder und Teenager besäßen Energie. Eines der wunderbaren Geschenke für mich war der plötzliche Energieschub, den ich erlebte, kurz nachdem ich das Rauchen aufgegeben hatte. Ich hatte tatsächlich wieder Lust auf Sport.

Der Mißbrauch des Körpers und der Energiemangel führen meist zu weiterem Negativverhalten. Der Raucher geht sportlichen Aktivitäten und anderen Hobbys gern aus dem Weg und neigt dazu, zuviel zu essen und zu trinken.

19 | Es entspannt mich und schenkt mir Selbstvertrauen

Das ist der schlimmste Irrtum von allen, und die Befreiung davon steht für mich auf der gleichen Stufe wie das Ende der Selbstversklavung, der größte Gewinn, den einem das Aufgeben der Nikotinsucht einbringt – wenn man nicht mehr mit einem ständigen Gefühl der Unsicherheit durchs Leben zu gehen braucht.

Viele der Vorteile, die ich davon hatte, daß ich nicht mehr rauchte, wurden mir erst Monate später bewußt, während meiner Raucherberatungen.

Fünfzehn Jahre lang weigerte ich mich, mich ärztlich untersuchen zu lassen. Auch beim Abschluß einer Versicherung lehnte ich es ab, mich einer ärztlichen Untersuchung zu unterziehen, und zahlte dafür lieber höhere Beiträge. Ich haßte Besuche in Kliniken, bei Ärzten und Zahnärzten. Ich konnte den Gedanken ans Altwerden, an Pensionen usw. nicht ertragen.

Nichts davon brachte ich mit meiner Raucherei in Verbindung, doch als ich damit aufhörte, war es, als wäre ich aus einem Alptraum erwacht. Heute freue ich mich auf jeden Tag. Natürlich geschehen auch unangenehme Dinge in meinem Leben, und ich muß wie alle anderen mit Streß und Spannungen fertig werden; aber es ist wunderbar, das Vertrauen zu besitzen, daß man auch solche Belastungen bewältigen kann. Und die guten Zeiten genießt man um so mehr, da man körperlich leistungsfähiger ist, mehr Energie und Selbstvertrauen hat.

20 | Die bedrohlichen schwarzen Schatten

Eine weitere der großen Freuden eines Nicht-Mehr-Rauchers ist, daß sich diese schwarzen Schatten, die immer den Hintergrund unseres Bewußtseins verdüstern, in Wohlgefallen auflösen. Alle Raucher wissen, daß sie Trottel sind, und verschließen die Augen vor den negativen Folgen des Rauchens. Wir rauchen meist automatisch, ohne weiter darüber nachzudenken, doch die schwarzen Schatten lauern immer in unserem Unterbewußtsein, knapp unterhalb der Oberfläche.

In unserem Raucherleben gibt es immer wieder Momente, in denen diese schwarzen Schatten emporsteigen:

Wenn wir den Warnhinweis des Gesundheitsministers lesen,

wenn wir von Krebs hören,

anläßlich von Nichtraucher-Kampagnen,

bei einem Hustenanfall,

bei Schmerzen in der Brust,

wenn uns eines unserer Kinder, ein Freund oder ein Verwandter schmerzliche Blicke zuwirft,

wenn wir beim Zahnarzt, oder beim Küssen oder im Gespräch mit einem Nichtraucher merken, wie schlecht unser Atem riecht und wie fleckig unsere Zähne sind,

durch den Verlust der Selbstachtung, den die Abhängigkeit vom Nikotin mit sich bringt.

Auch wenn wir uns dieser Dinge nicht bewußt sind, lauern diese schwarzen Schatten immer knapp unter der Fassade und zerren immer mehr an uns, je tiefer wir in der Abhängigkeit versinken. Das hört erst auf, wenn Sie beschließen, sich von dieser grauenhaften Sucht zu befreien.

Ich kann nicht genug betonen, wie wunderbar es ist, endlich unbeschwert, ohne diese furchtbaren schwarzen Schatten zu leben, im Bewußtsein, daß man nicht mehr zu rauchen braucht.

Die letzten beiden Kapitel handelten von den beträchtlichen Vorteilen, derer sich ein Nichtraucher erfreut. Im Bemühen um eine ausgewogene Darstellung werden im nächsten Kapitel die Vorteile des Rauchens aufgezählt.

21 | Die Vorteile des Rauchens

22 | Die »Methode Willenskraft«

In unserer Gesellschaft herrscht allgemein die Annahme, es sei sehr schwer, sich das Rauchen abzugewöhnen. Sogar praktische Ratgeber, die einem dabei helfen wollen, beginnen in der Regel mit Ausführungen darüber, wie schwierig es ist. In Wahrheit ist es aber lächerlich einfach. Ja, ich begreife, wenn Sie Zweifel anmelden, aber überdenken Sie die Sache doch einmal.

Wenn Sie es sich zum Ziel setzen, eine Meile in weniger als vier Minuten zu laufen, dann ist das schwierig. Sie müssen möglicherweise jahrelang hart dafür trainieren, und sogar dann sind Sie vielleicht körperlich nicht dazu in der Lage. (Unsere Vorstellungskraft bestimmt weitgehend unsere Leistung. Ist es nicht merkwürdig, wie unerreichbar diese Zeitmarke schien, bevor Bannister es tatsächlich geschafft hat? Heutzutage ist es nichts Ungewöhnliches mehr.)

Wenn es darum geht, mit dem Rauchen aufzuhören, brauchen Sie nichts weiter zu tun, als nicht mehr zu rauchen. Niemand zwingt Sie zu rauchen (außer Sie selbst), und im Unterschied zum Essen und Trinken brauchen Sie keine Zigaretten, um zu überleben. Wenn Sie also damit aufhören wollen, warum sollte es so schwierig sein? Es ist in Wirklichkeit auch nicht schwierig. Raucher erschweren sich die Sache selbst, wenn sie mit einem mächtigen Einsatz von Willenskraft an die Sache herangehen. So arbeitet jede Methode, die dem Raucher das Gefühl aufzwingt, er müsse Opfer irgendwelcher Art bringen. Betrachten wir einmal diese Methoden, die uns Willenskraft abverlangen, genauer.

Wir fassen nicht den Entschluß, Raucher zu werden. Die ersten paar Zigaretten sind nur ein Experiment für uns, und weil sie scheußlich schmecken, sind wir überzeugt, wir könnten aufhören zu rauchen, wann immer wir wollen. Im Prinzip rauchen wir diese ersten paar Zigaretten nur dann, wenn wir es wünschen, meist in Gesellschaft anderer Raucher.

Bevor wir es so richtig mitbekommen, kaufen wir nicht nur regelmäßig Zigaretten und rauchen, wann wir es möchten, sondern sind ständig am Rauchen.

Meist dauert es lange, bis wir merken, daß wir süchtig sind, weil wir der Täuschung verfallen sind, Raucher rauchten wegen des Genusses, nicht weil sie rauchen *müssen*. Wir genießen das Rauchen zwar nicht (das tun wir nie), bilden uns aber ein, wir könnten jederzeit damit aufhören.

Meist merken wir erst, wenn wir einen Versuch machen, das Rauchen aufzugeben, daß wir vor einem kleinen Problem stehen. Die ersten Versuche finden meist schon in der Anfangszeit des Rauchens statt, in der Regel wegen Geldknappheit (Junge trifft Mädchen, man spart für einen eigenen Haushalt und will kein Geld für Zigaretten verschleudern) oder aus gesundheitlichen Gründen (der Teenie ist immer noch ein aktiver Sportler und merkt, daß ihm die Luft ausgeht). Welche auch immer die Motive sind, der Raucher wartet eine Streßsituation ab. Sobald er nicht mehr raucht, schreit die Bestie nach Nahrung. Dann hat der Raucher das Verlangen nach einer Zigarette, und weil er keine rauchen darf, wird sein Streß noch größer. Sein normales Mittel gegen Streß ist jetzt nicht verfügbar, daher leidet er gleich dreifach. Das Ergebnis einer Zeit der Qual ist höchstwahrscheinlich der Kompromiß: »Ich werde weniger rauchen«, oder der Schluß: »Ich habe den falschen Zeitpunkt erwischt« oder die Entscheidung: »Ich werde warten, bis ich nicht mehr so gestreßt bin.« Hört der Streß auf, besteht aber keine Notwendigkeit mehr, das Rauchen aufzugeben; erst in der nächsten Streßsituation nimmt der Raucher einen erneuten Anlauf. Der Zeitpunkt ist natürlich nie der richtige, weil der Streß im Leben der meisten Menschen nicht geringer wird, sondern sich eher verstärkt. Wir ziehen aus dem Elternhaus aus, gründen einen eigenen Haushalt, nehmen Hypotheken auf, bekommen Kinder, im Beruf wird uns mehr Verantwortung übertragen usw. Natürlich kann der Streß im Leben eines Rauchers nie nachlassen, weil ja die Zigaretten die Ursache vom ganzen Streß sind. Und der Streß wird immer größer, je mehr Nikotin man in sich hineinpumpt; desto größer wird auch die Illusion der Abhängigkeit.

In Wirklichkeit ist es eine Täuschung, daß der Streß im Leben immer größer wird, und erzeugt wird diese Täuschung vom Rauchen selbst. Das werden wir im Kapitel 28 noch genauer besprechen. Nach anfänglichen Fehlschlägen baut der Raucher in der Regel auf die Möglichkeit, daß er eines Tages aufwacht und einfach keine Lust mehr hat zu rauchen. Diese Hoffnung nährt sich meist von Geschichten, die er über andere Ex-Raucher gehört hat (z. B. »Ich hatte eine Grippe, und danach wollte ich einfach nicht mehr rauchen.«).

Machen Sie sich nichts vor. Ich bin solchen Gerüchten auf den Grund gegangen, und nie ist die Sache so einfach, wie sie aussieht. Meist war der Raucher bereits innerlich darauf vorbereitet, mit dem Rauchen aufzuhören, und benutzte die Grippe nur als Sprungbrett. Ich habe über dreißig Jahre damit verbracht, zu warten, daß ich eines Morgens aufwachen würde und nie mehr Lust auf eine Zigarette hätte. Immer, wenn ich eine Grippe hatte, freute ich mich schon aufs Abklingen der Krankheit, weil sie meiner Raucherei in die Quere kam.

Noch häufiger kommt es vor, daß Leute, die »einfach so« aufhören, einen Schock erlitten haben. Vielleicht ist ein naher Verwandter an einer Raucherkrankheit gestorben, oder ihnen ist wegen eigener gesundheitlicher Probleme der Schreck in die Glieder gefahren. Es erzählt sich immer leichter: »Eines Tages habe ich einfach beschlossen, die Raucherei aufzugeben. So ein toller Typ bin ich.« Hören Sie auf, sich etwas vorzumachen! So etwas passiert nicht von selbst; Sie müssen schon etwas dazu tun.

Wir wollen jetzt einmal genauer untersuchen, warum es so schwer ist, mittels verbissenem Einsatz von Willenskraft mit dem Rauchen aufzuhören. Die meiste Zeit stecken wir doch den Kopf in den Sand und sagen uns: »Morgen höre ich auf.«

Ab und zu löst irgend etwas den Versuch aus, mit dem Rauchen aufzuhören. Das können gesundheitliche Probleme sein, finanzielle Gründe, die soziale Ächtung, oder wir hatten in letzter Zeit besonders starke Atemschwierigkeiten und merken, daß wir das Rauchen im Grunde nicht genießen.

Was immer der Grund sein mag, wir heben den Kopf aus dem Sand und beginnen, das Für und Wider des Rauchens abzuwägen. Wir finden heraus, was wir unser Leben lang schon wußten: Bei vernünftiger Überlegung kann man nur zu einem einzigen Schluß kommen: **Schluß mit dem Rauchen!**

Doch obwohl der Raucher weiß, daß er als Nichtraucher besser dran ist, glaubt er, ein Opfer bringen zu müssen. Das ist zwar eine Illusion, aber eine *mächtige* Illusion. Der Raucher weiß nicht, warum, doch er glaubt, daß Zigaretten in den guten wie in den schlechten Zeiten des Lebens eine Hilfe sind.

Bevor er überhaupt loslegt, hat er bereits die in unserer Gesellschaft übliche Gehirnwäsche hinter sich, dazu die krausen Ideen, die seine eigene Sucht in ihm erzeugt. Hinzu kommt ein noch mächtiger Irrtum, nämlich die Überzeugung, wie enorm schwierig es sei, das Rauchen aufzugeben.

Er hat von Rauchern gehört, die schon seit Monaten nicht mehr rauchen und trotzdem noch nach Zigaretten gieren. Das sind alles miesepetrige Ex-Raucher, Leute, die mit dem Rauchen aufhören und dann den Rest ihres Lebens jammern, daß sie so gern eine Zigarette hätten. Er hat von Rauchern gehört, die jahrelang nicht geraucht haben und anscheinend glücklich und zufrieden vor sich hin leben, doch dann irgendwann einmal eine einzige Zigarette rauchen und mit einem Schlag wieder süchtig sind. Wahrscheinlich kennt er auch mehrere Raucher im fortgeschrittenen Stadium der Erkrankung, die sich sichtlich selbst zerstören und das Rauchen offensichtlich nicht genießen – und trotzdem rauchen sie weiter. Obendrein hat er wahrscheinlich eine oder mehrere dieser Erfahrungen bereits selbst gemacht.

Anstatt also mit dem Gefühl ans Werk zu gehen: »Toll! Hast du schon gehört? Ich brauche nicht mehr zu rauchen«, beginnt er mit einem düsteren Gefühl der Verdammnis, als ob er den Everest besteigen müßte, und ist fest davon überzeugt, wenn ihn die kleine Bestie einmal in den Klauen hat, dann für lebenslänglich. Viele Raucher fangen damit an, sich bei ihren Freunden und Verwandten zu entschuldigen: »Schau, ich versuche, das Rauchen aufzugeben. Wahrscheinlich bin ich in den nächsten Wochen ziemlich reizbar – bitte sei nachsichtig mit mir!« Die meisten solcher Versuche sind von vornherein zum Scheitern verurteilt. Nehmen wir einmal an, daß der Raucher ein paar Tage ohne Zigaretten durchhält. Das Erstickungsgefühl in seinen Lungen läßt rasch nach. Er hat keine Zigaretten gekauft und folglich mehr Geld in der Tasche. Die Gründe, warum er ursprünglich mit dem Rauchen aufhören wollte, verflüchtigen sich rasch aus seinem Denken. Es ist, wie wenn man beim Autofahren einen bösen Unfall sieht. Eine Zeitlang fährt man dann langsamer, doch das nächste Mal, wenn man spät dran ist, hat man schon wieder alles vergessen und drückt das Gaspedal durch.

Und am anderen Ende des Stricks zerrt die kleine Bestie in Ihrem Bauch, die ihren Schuß Nikotin nicht bekommen hat.

Sie leiden nicht an körperlichen Schmerzen; wenn Sie sich wegen einer Erkältung vergleichbar schlecht fühlen würden, würden Sie Ihrer Arbeit nicht fernbleiben oder Depressionen nachhängen. Sie würden einfach lachend darüber hinweggehen. Alles, woran der Raucher denken kann, ist, daß er eine Zigarette haben will. Warum das so wichtig für ihn ist, weiß er nicht. Die kleine Bestie im Bauch setzt dann die große Bestie in seinem Hirn frei, und jetzt sucht dieselbe Person, die vor ein paar Stunden oder Tagen bereitwillig allen guten Gründen lauschte, warum sie mit dem Rauchen aufhören sollte, verzweifelt nach irgendeiner Ausrede, um wieder anfangen zu können. Der Raucher sagt sich Dinge wie:

1. Das Leben ist zu kurz. Vielleicht geht morgen die Bombe hoch. Ich könnte überfahren werden. Ich hab sowieso schon zu lange geraucht. Heutzutage bekommt man doch von allem Krebs.
2. Ich habe den falschen Zeitpunkt gewählt. Ich hätte erst nach Weihnachten/nach dem Urlaub/nach dieser Streßphase in meinem Leben damit anfangen sollen.
3. Ich kann mich nicht konzentrieren. Ich bin reizbar und schlecht gelaunt. Ich kann nicht richtig arbeiten. Meine Familie und meine Freunde können mich nicht mehr leiden. Seien wir ehrlich: Ich muß wieder anfangen zu rauchen, schon wegen der anderen. Ich bin ein eingefleischter Raucher und habe keine Chance, jemals wieder ohne Zigarette glücklich zu sein. (Das hielt mich dreiunddreißig Jahre lang bei der Stange.)

Wenn er an diesem Punkt angelangt ist, gibt der Raucher schließlich nach. Er zündet sich eine Zigarette an, und die Schizophrenie wird nur noch größer. Einerseits herrscht bei ihm ungeheure Erleichterung darüber, daß seine Gier gestillt ist, andererseits, falls er längere Zeit nicht geraucht hat, schmeckt die Zigarette scheußlich, und der Raucher begreift nicht, warum er dieses Zeugs eigentlich raucht. Daher glaubt er, es mangle ihm an Willenskraft. Doch in Wirklichkeit fehlt es ihm keineswegs daran; er hat lediglich seine Meinung geändert und im Licht der neuesten Erkenntnisse eine völlig vernünftige Entscheidung getroffen. Was soll die ganze Gesundheit, wenn man sich dabei elend fühlt? Was soll der ganze Reichtum, wenn man sich dabei elend fühlt? Beides bringt absolut nichts. Ein kurzes, aber genußvolles Leben ist wesentlich besser, als ein langes, elendes.

Zum Glück trifft das nicht zu, sondern das schiere Gegenteil. Als Nichtraucher lebt man unendlich genußvoller. Doch genau dieser Trugschluß hat mich dreiunddreißig Jahre lang dazu gebracht, weiterzurauchen, und ich muß zugeben, daß ich immer noch rauchen würde, falls er wahr wäre (Berichtigung – ich wäre nicht mehr da).

Die Qual, die der Raucher durchmacht, hat nichts mit dem Entzug zu tun. Dieser löst die Qual zwar aus, doch der wirkliche Kampf findet im Kopf statt; seine Ursachen sind Zweifel und Ungewißheit. Weil der Raucher schon mit der Überzeugung anfängt, er bringe ein Opfer, hat er bald das Gefühl, er müsse etwas entbehren – das ist eine Form von Streß. Jedesmal, wenn sein Gehirn ihm suggeriert: »Rauch doch eine«, leidet er unter Streß. Sobald er also aufhört zu rauchen, entsteht das Bedürfnis nach einer Zigarette. Doch er darf jetzt keine rauchen, weil er das Rauchen aufgegeben hat. Das deprimiert ihn nur noch mehr, was erneut das Bedürfnis auslöst.

Eine weitere Schwierigkeit besteht im Warten, daß etwas geschieht. Wenn Sie sich zum Ziel setzen, den Führerschein zu machen, haben Sie Ihr Ziel erreicht, sobald Sie die Fahrprüfung bestehen. Bei der »Methode Willenskraft« heißt es:

»Wenn Sie es nur lange genug ohne Zigaretten aushalten, wird der Drang zu rauchen schließlich verschwinden.«

Woher wissen Sie, wann Sie dieses Ziel erreicht haben? Sie wissen es nie, weil Sie darauf warten, daß etwas passiert, aber es passiert eben nichts weiter. Sie haben das Rauchen aufgegeben, nachdem Sie Ihre letzte Zigarette geraucht haben, und im Grunde warten Sie jetzt nur, wie lange es dauert, bis Sie wieder schwach werden.

Wie gesagt ist die Qual, an der ein Raucher leidet, geistiger Natur; sie wird von der Unsicherheit hervorgerufen. Obwohl keine körperlichen Schmerzen zu spüren sind, ist die Wirkung stark. Der Raucher fühlt sich elend und unsicher. Er ist weit davon entfernt, das Rauchen zu vergessen; sein ganzes Denken ist davon besessen. Tage- oder sogar wochenlang versinkt er in tiefster Depression. Seine Gedanken kreisen nur um Zweifel und Ängste.

»Wie lange wird dieses Wahnsinnsverlangen noch dauern?«

»Werde ich jemals wieder glücklich sein?«

»Werde ich jemals morgens wieder aufstehen wollen?«

»Werde ich jemals wieder eine Mahlzeit genießen können?«

»Wie werde ich in Zukunft je mit Streß fertig werden?«

»Wird mir eine Party jemals wieder Spaß machen?«

Der Raucher wartet darauf, daß sich die Dinge bessern, doch solange er Trübsal bläst, wird die Zigarette nur immer erstrebenswerter.

In Wirklichkeit passiert tatsächlich etwas, doch der Raucher merkt es gar nicht. Wenn er drei Wochen radikalen Nikotinentzugs übersteht, verschwindet das körperliche Verlangen danach. Doch wie bereits gesagt sind die Entzugserscheinungen bei Nikotin so schwach, daß der Raucher sie gar nicht wahrnimmt. Doch nach etwa drei Wochen haben viele

Raucher das Gefühl, sie hätten es geschafft. Um es sich zu beweisen, zünden sie eine Zigarette an, und das schafft sie wiederum. Sie schmeckt schrecklich, doch der Ex-Raucher hat wieder Nikotin in seinen Körper eingeschleust, und sobald er die Zigarette ausdrückt und der Nikotinspiegel sinkt, flüstert wieder eine leise Stimme in seinem Hinterkopf: »Du willst noch eine.« Er hatte es wirklich geschafft, doch jetzt hat er sich erneut abhängig gemacht.

Meist zündet sich der Raucher nicht sofort eine weitere Zigarette an. Er denkt: »Ich will nicht wieder süchtig werden.« Er läßt einen Sicherheitszeitraum verstreichen. Vielleicht Stunden, Tage oder sogar Wochen. Dann kann der Ex-Raucher sagen: »Nun, ich bin nicht wieder abhängig geworden, daher kann ich ruhig eine zweite rauchen.« Er tappt in dieselbe Falle wie beim ersten Mal und balanciert bereits auf einem schlüpfrigen Seil.

Raucher, die das Rauchen mittels Einsatz von Willenskraft aufgeben, finden es meist langwierig und schwierig, weil das Hauptproblem in der Gehirnwäsche besteht; lange, nachdem die körperliche Abhängigkeit verschwunden ist, jammert der Raucher immer noch den Zigaretten nach. Hält er lange genug durch, beginnt es ihm zu dämmern, daß er tatsächlich nicht nachgeben wird. Er hört auf zu jammern und akzeptiert, daß das Leben ohne Zigaretten weitergeht und genußvoll ist.

Viele Raucher haben mit dieser Methode Erfolg, doch sie ist schwierig und mühsam und führt häufiger zu Fehlschlägen als zu Erfolgen. Sogar die, die es schaffen, bleiben lebenslang verwundbar. Immer noch wirkt die Gehirnwäsche in gewissem Maße nach, und sie glauben, daß eine Zigarette einem in guten wie in schlechten Zeiten eine Energiespritze verpassen kann. (Auch die meisten Nichtraucher leiden an dieser Illusion. Auch sie sind Opfer der Gehirnwäsche, können aber nicht lernen, das Rauchen »zu genießen«, oder wollen sich nicht die Nachteile einhandeln, nein, danke!) Das erklärt, warum viele Raucher, die sehr lange nicht geraucht haben, wieder anfangen.

Viele Ex-Raucher rauchen gelegentlich eine Zigarre oder Zigarette als »besonderes Zuckerl«, oder um sich selbst davon zu überzeugen, wie scheußlich sie schmecken. So weit, so gut, doch sobald sie die Zigarette ausdrücken, sinkt der Nikotinspiegel, und eine leise Stimme im Hinterkopf suggeriert: »Du willst noch eine!« Zünden sie sich dann eine zweite an, schmeckt sie immer noch scheußlich, und die Ex-Raucher beglückwünschen sich: »Wunderbar! Solange ich das Kraut nicht genieße, werde ich nicht davon abhängig. Nach Weihnachten/nach dem Urlaub/nach diesem Streß werde ich wieder aufhören.«

Zu spät. Sie sind bereits wieder süchtig. Die Falle, in die sie beim ersten Mal gefallen sind, ist zum zweiten Mal zugeschnappt.

Wie ich immer sage, hat Genuß damit nichts zu tun. Das hatte er nie! Würden wir rauchen, weil wir den Genuß suchen, würde niemand mehr als jene erste Zigarette rauchen. Wir nehmen nur an, wir genießen die Zigaretten, weil wir nicht glauben können, daß wir so dumm sein können, zu rauchen, wenn nicht einmal ein Genuß dabei herausspringt. Deshalb läuft das Rauchen so oft unbewußt ab. Würden Sie bei jeder Zigarette, die Sie rauchen, den Dreck wahrnehmen, den Sie in Ihre Lungen pumpen, und müßten Sie sich sagen: »Dieser Spaß wird mich im Leben neunzigtausend Mark kosten, und diese Zigarette könnte genau die sein, die in meinen Lungen Krebs auslöst«, dann würde sogar die Illusion eines Genusses verfliegen. Wenn wir versuchen, die negativen Folgen aus unseren Gedanken gezielt auszuschalten, kommen wir uns dumm vor. Doch wenn wir uns damit auseinandersetzen müßten, wäre das unerträglich! Wer Raucher beobachtet, vor allem bei geselligen Anlässen, wird sehen, daß sie nur glücklich sind, wenn sie gar nicht merken, daß sie rauchen. Sobald sie es merken, fühlen sie sich eher unwohl und neigen dazu, sich zu entschuldigen. Wir rauchen, um die kleine Bestie zu füttern ... und sobald Sie die kleine Bestie aus Ihrem Körper und die große Bestie aus Ihrem Kopf verjagt haben, werden Sie weder das Bedürfnis noch den Wunsch nach einer Zigarette verspüren.

23 | Weniger rauchen? Vorsicht Falle!

Viele Raucher schränken ihren Zigarettenkonsum entweder als Vorbereitung vor dem endgültigen Aufhören ein, oder in dem Versuch, die kleine Bestie zu kontrollieren. Viele Ärzte und Ratgeber empfehlen diesen Schritt als Hilfe.

Klar, je weniger Sie rauchen, desto besser für Sie, doch weniger zu rauchen ist ein denkbar schlechtes Sprungbrett für alle, die das Rauchen ganz aufgeben wollen. Genau unsere Versuche, uns einzuschränken, sorgen dafür, daß wir ein Leben lang in der Falle sitzen.

Wir rauchen in der Regel dann weniger, wenn einer unserer Versuche, das Rauchen aufzugeben, gescheitert ist. Nach ein paar Stunden oder Tagen der Enthaltsamkeit sagt sich der Raucher etwas wie: »Ich kann die Aussicht nicht ertragen, ganz ohne Zigaretten zu leben, deshalb werde ich von jetzt ab nur noch meine Lieblingszigaretten rauchen oder mich auf zehn am Tag beschränken. Wenn das klappt, kann ich mich auf diesem Stand entweder halten oder weiter einschränken.«

Nun passiert Schreckliches.

1. Der Raucher hat sich von allem das Schlimmste ausgesucht. Er ist immer noch nikotinabhängig und erhält die Bestie am Leben, nicht nur in seinem Körper, sondern auch in seinen Gedanken.
2. Er wartet nur noch auf seine nächste Zigarette und geht dabei die Wände hoch.
3. Bevor er sich einschränkte, zündete er sich jedesmal eine Zigarette an, wenn er den Wunsch danach verspürte, und hob damit die Entzugserscheinungen wenigstens teilweise auf. Zusätzlich zum normalen Streß des Lebens lädt er sich jetzt während eines Großteils der Zeit auch noch die Entzugssymptome auf. Er sorgt selbst dafür, daß er sich elend und schlecht gelaunt fühlt.
4. Als er seinem Drang immer nachgab, genoß er die meisten Zigaretten nicht, merkte gar nicht, daß er rauchte. Es geschah automatisch. Einen Genuß glaubte er lediglich in solchen Zigaretten zu finden, die er nach einer Zeit der Enthaltsamkeit rauchte (zum Beispiel die erste des Tages, die Verdauungszigarette usw.).

Jetzt wartet er auf jede Zigarette eine Stunde lang und »genießt« jede einzelne davon. Je länger er wartet, desto größer scheint der »Genuß«, den ihm allerdings nicht die Zigarette selbst verschafft, sondern allein das Ende der Anspannung, deren Ursache das gierige Verlangen ist, das schwache körperliche Verlangen wegen des Nikotinentzugs oder das psychische Verlangen. Je länger Sie leiden, desto größer wird der »Genuß« bei jeder Zigarette. Die Hauptschwierigkeit beim Aufgeben des Rauchens ist nicht die chemische Abhängigkeit. Die zu überwinden ist einfach. Sie halten es zehn Stunden ohne Zigarette aus, ohne mit der Wimper zu zucken. Wenn Sie tagsüber zehn Stunden ohne Zigarette auskommen müßten, würden Sie aus der Haut fahren.

Viele Raucher verzichten nach dem Kauf eines neuen Autos darauf, darin zu rauchen. Raucher gehen in den Supermarkt, ins Theater, zum Arzt, ins Krankenhaus, zum Zahnarzt usw., ohne übertrieben unter der Enthaltsamkeit zu leiden. Sogar gegen das Rauchverbot in den U-Bahnen gab es keine Proteste. Raucher freuen sich fast, wenn ihnen jemand das Rauchen untersagt. Insgeheim bereitet es ihnen sogar Vergnügen, wenn sie es längere Zeiträume ohne Zigarette aushalten müssen. Das gibt ihnen die Hoffnung, daß sie vielleicht eines Tages kein Verlangen mehr danach haben. Das wirkliche Problem bei der Raucherentwöhnung ist die Gehirnwäsche, die Illusion, daß die Zigarette einem eine wie auch immer geartete Stütze ist oder Spaß bringt und daß das Leben ohne Zigaretten nie wieder ganz dasselbe sein wird. Wenn Sie Ihren Zigarettenkonsum nun einschränken, wird Sie das keineswegs vom Rauchen abbringen, sondern nur dafür sorgen, daß Sie sich unsicher und elend fühlen und zu der Überzeugung gelangen, der größte Schatz auf dieser Welt sei die nächste Zigarette, und Sie könnten ohne Zigarette unmöglich jemals wieder glücklich sein. Es gibt nichts Jämmerlicheres als den Raucher, der versucht, weniger zu rauchen. Er verfällt der Täuschung, daß wenn er weniger raucht, auch weniger Lust darauf haben wird. Das Gegenteil ist der Fall. Je weniger er raucht, desto länger leidet er an den Entzugserscheinungen; je mehr er die Zigaretten genießt, desto scheußlicher schmecken sie. Doch das ist für ihn kein Hinderungsgrund. Der Geschmack spielte noch nie eine Rolle. Würden Raucher rauchen, weil Zigaretten angeblich so gut schmecken, würde niemand mehr als eine einzige Zigarette rauchen. Fällt Ihnen das schwer zu glauben? Gut, diskutieren wir die Sache durch. Welche Zigarette schmeckt am scheußlichsten? Richtig, die erste des Tages, diejenige, die im Winter einen Hustenanfall auslöst, daß wir Schleim hochwürgen.

Welche ist eine der Lieblingszigaretten der meisten Raucher? Richtig, die erste des Tages! Glauben Sie wirklich, Sie rauchen sie, weil sie so gut schmeckt und duftet, oder halten Sie es nicht für eine rationalere Erklärung, daß diese erste Zigarette einfach die Entzugserscheinungen nach neunstündiger Enthaltsamkeit beseitigt?

Der Versuch, weniger zu rauchen, ist nicht nur zum Scheitern verurteilt, sondern auch die schlimmste Art von Folter. Er scheitert, weil der Raucher irrtümlich hofft, wenn er sich nur angewöhnen kann, immer weniger zu rauchen, wird er auch weniger Lust darauf haben. Doch es handelt sich nicht um eine Gewohnheit. Rauchen ist eine Sucht, und im Wesen einer Sucht liegt es nun einmal, daß man nach immer mehr »Stoff« verlangt, nicht nach immer weniger. Um seinen Zigarettenkonsum einzuschränken, muß der Raucher sein Leben lang Willenskraft und Disziplin aufbringen. Das Hauptproblem bei der Raucherentwöhnung ist nicht die chemische Abhängigkeit vom Nikotin. Damit wird man spielend fertig. Es ist der große Irrtum, daß Zigaretten dem Raucher Genuß verschaffen. Dieser Irrtum geht ursprünglich aufs Konto der Gehirnwäsche, der wir ausgeliefert sind, bevor wir überhaupt anfangen zu rauchen, und die dann durch die Sucht noch untermauert wird. Jede Einschränkung verstärkt den Irrtum bis hin zu einem solchen Ausmaß, daß das Rauchen das Leben des Rauchers völlig beherrscht und er zu der Überzeugung gelangt, das Schönste auf Erden sei die nächste Zigarette.

Wie gesagt, klappt der Versuch, weniger zu rauchen, ohnehin nie, weil Sie sich dann Ihr restliches Leben lang mit Willenskraft und Disziplin unter Kontrolle halten müßten. Und wenn Sie schon nicht genug Willenskraft aufbringen konnten, um mit dem Rauchen aufzuhören, besitzen Sie erst recht nicht genug Willenskraft, um das Rauchen einzuschränken. Aufhören ist viel einfacher und weniger qualvoll.

Ich habe buchstäblich von Tausenden von Fällen gehört, die wegen des Versuchs, weniger zu rauchen, gescheitert sind. Die Handvoll Erfolge, von denen ich weiß, wurden nach einer relativ kurzen Zeit der Einschränkung erzielt, nach der die Raucher dann schlagartig aufhörten. Diese Raucher gaben das Rauchen trotz der Einschränkung ihres Zigarettenkonsums auf, nicht deswegen. Man verlängert dadurch nur seine Qualen. Nach einem gescheiterten Versuch, weniger zu rauchen, ist der Raucher nervlich ein Wrack und überzeugt, daß er sein Leben lang abhängig bleiben wird. Das reicht meist, daß er fünf Jahre lang weiterqualmt, bevor er den nächsten Versuch unternimmt.

Eine Einschränkung des Zigarettenkonsums veranschaulicht jedoch schön die Perversität der ganzen Raucherei, weil sie deutlich vor Augen führt, daß eine Zigarette erst nach einiger Zeit der Enthaltsamkeit zum Genuß wird. Sie müssen mit dem Kopf gegen eine Wand anrennen (d. h. an Entzugssymptomen leiden), um die angenehme Empfindung zu erleben, daß der Schmerz aufhört.

Sie stehen also vor der Wahl:

1. Ein Leben lang weniger zu rauchen. Das ist eine selbst auferlegte Folter, und Sie werden es ohnehin nicht schaffen.
2. Sich langsam, aber sicher zu ersticken. Welchen Sinn sehen Sie darin?
3. Nett zu sich zu sein und mit dem Rauchen aufzuhören.

Der zweite wichtige Punkt, der durch die Einschränkung des Rauchens deutlich wird, ist, daß es etwas wie eine gelegentliche Zigarette nicht gibt. Rauchen ist eine Kettenreaktion, die sich Ihr restliches Leben lang fortsetzen wird, es sei denn, Sie bemühen sich aus eigener Kraft, daraus auszubrechen.

24 | Nur eine einzige Zigarette

Die Vorstellung, nur noch eine einzige Zigarette zu rauchen, müssen Sie aus Ihrem Kopf verbannen. Sie ist ein Mythos. Nur eine einzige Zigarette war schon genug, daß Sie mit dem Rauchen überhaupt angefangen haben. Nur eine einzige Zigarette, die uns über Schwierigkeiten hinweghelfen oder bei einem besonderen Anlaß belohnen soll, läßt die meisten Versuche, das Rauchen aufzugeben, scheitern.

Nur eine einzige Zigarette befördert den Raucher, der seine Sucht erfolgreich überwunden hat, zurück in die Falle. Manchmal möchte er nur die Bestätigung, daß er sie nicht mehr braucht, und die liefert sie ihm. Sie schmeckt schrecklich und überzeugt den Raucher davon, daß er nie wieder abhängig werden wird, doch er ist es bereits.

Der Gedanke an jene eine besondere Zigarette hält Raucher oft davon ab, das Rauchen aufgeben zu wollen – die erste morgens oder die Verdauungszigarette.

Prägen Sie sich bitte ein, daß es so etwas wie »nur eine einzige Zigarette« nicht gibt. Rauchen ist eine Kettenreaktion, die ein Leben lang weiterläuft, wenn Sie sie nicht unterbrechen.

Genau der Mythos von der vereinzelten, besonderen Zigarette läßt manche Raucher, die das Rauchen aufgegeben haben, ewig weiterjammern. Stellen Sie sich nie die Gelegenheitszigarette oder die Schachtel dann und wann vor – das ist reine Phantasie. Wenn Sie ans Rauchen denken, denken Sie lieber an ein Leben voller Dreck, für den Sie ein kleines Vermögen ausgeben – nur für das Privileg, sich selbst geistig und körperlich zu zerstören, sich lebenslänglich selbst zu versklaven, ein Leben lang aus dem Mund zu stinken.

Schade, daß es nichts derartiges gibt wie eine Zigarette, die in guten und schlechten Zeiten gelegentlich Energiespritze oder vergnüglicher Genuß sein kann. Bitte prägen Sie sich ein: Eine Zigarette ist nichts dergleichen. Entweder bleiben Sie ein ganzes, elendes Leben daran hängen, oder gar nicht. Sie würden nicht im Traum daran denken, Zyankali zu schlucken, weil es so schön nach Mandeln schmeckt; hören Sie also auch auf, sich mit der Vorstellung einer Gelegenheitszigarette oder -zigarre zu bestrafen.

Fragen Sie doch einen Raucher: »Wenn Sie die Chance hätten, die Uhr bis zu der Zeit zurückzudrehen, bevor Sie nikotinsüchtig wurden, würden Sie dann anfangen zu rauchen?« Die Antwort lautet unvermeidlich: »Sie machen wohl Witze!« Doch jeder Raucher steht jeden Tag seines Lebens vor der Wahl. Warum entscheidet er sich nicht für das einzig Richtige? Weil er Angst hat. Die Angst, daß er nicht aufhören kann, oder daß das Leben ohne Zigaretten nie mehr dasselbe sein wird.

Hören Sie auf, sich etwas vorzumachen. Sie schaffen es. Jeder kann es schaffen. Es ist lächerlich einfach.

Um sich die Sache einfach zu machen, müssen Sie sich nur gewisse grundsätzliche Wahrheiten klarmachen. Über drei davon haben wir bereits gesprochen:

1. Es gibt nichts, was Sie aufzugeben hätten. Sie können nur gewinnen – wunderbare positive Dinge.
2. Gaukeln Sie sich nie die Gelegenheitszigarette vor. Es gibt sie nicht. Es gibt nur ein Leben in Dreck und Krankheit.

3. Sie sind kein »besonders schwerer Fall«. Jedem Raucher kann es leicht fallen, mit dem Rauchen aufzuhören.

25 | Gelegenheitsraucher, Teenager, Nichtraucher

Wer viel raucht, beneidet oft den Gelegenheitsraucher. Das können Sie sich sparen. Auf eine merkwürdige Art ist der Gelegenheitsraucher abhängiger und bedauernswerter als der starke Raucher. Zwar ist er den gefürchteten gesundheitlichen Risiken weniger ausgesetzt und gibt auch nicht soviel Geld fürs Rauchen aus wie Sie. Doch in anderer Hinsicht ist er viel schlimmer dran. Vergessen Sie nicht, daß kein Raucher seine Zigaretten wirklich genießt. Er genießt lediglich die Atempause zwischen den Entzugserscheinungen. Daher besteht eine natürliche Tendenz zum Kettenrauchen.

Drei Hauptgründe verhindern das Kettenrauchen.

1. **Finanzielles.** Die meisten können es sich nicht leisten.
2. **Gesundheit.** Um uns von unseren Entzugserscheinungen zu befreien, müssen wir Gift zu uns nehmen. Die Fähigkeit des Körpers, dieses Gift zu verarbeiten, ist von Mensch zu Mensch unterschiedlich und hängt auch vom jeweiligen Moment und der Situation im Leben des einzelnen ab. Das setzt dem Zigarettenkonsum automatisch gewisse Grenzen.
3. **Disziplin.** Sie wird dem Raucher von der Gesellschaft auferlegt, von seiner Arbeitsstelle, von Freunden oder Verwandten, oder von ihm selbst, infolge des ständigen Tauziehens, das sich im Kopf jedes Rauchers abspielt.

An dieser Stelle ist es vielleicht von Vorteil, einige Definitionen zu geben.

Der Nichtraucher: Jemand, der nie in die Falle gegangen ist, sich darauf aber nichts einzubilden braucht. Er ist Nichtraucher lediglich von Gottes Gnaden. Alle Raucher waren überzeugt, nie süchtig zu werden, und manche Nichtraucher rauchen immer wieder gelegentlich eine Zigarette.

Der Gelegenheitsraucher: Davon gibt es zwei Grundtypen:

1. Der Raucher, der bereits, ohne es zu merken, in der Falle sitzt. Ihn brauchen Sie nicht zu beneiden. Er steht erst auf der untersten Sprosse der Leiter und wird aller Wahrscheinlichkeit nach bald zu den starken Rauchern gehören. Erinnern Sie sich: Auch Sie haben als Gelegenheitsraucher begonnen.
2. Der Raucher, der ursprünglich viel rauchte und glaubt, er könne nicht ganz damit aufhören. Diese Raucher sind die bedauernswertesten von allen. Sie lassen sich in verschiedenen Untergruppen einteilen, die alle gesondert besprochen werden sollen.

Der Raucher, der fünf Zigaretten täglich raucht: Wenn Zigaretten ein solcher Genuß für ihn sind, warum raucht er dann nur fünf am Tag? Wenn er nicht abhängig ist, sondern es genauso gut bleiben lassen könnte, warum raucht er dann überhaupt? Erinnern Sie sich, die Gewohnheit besteht in Wirklichkeit darin, mit dem Kopf gegen eine Wand zu rennen, damit sich dieses entspannende Gefühl einstellt, wenn Sie damit aufhören. Der Raucher, der nur fünf am Tag raucht, beseitigt seinen Entzugsstreß nicht einmal eine Stunde am Tag. Den Rest des Tages rennt er, ohne daß ihm das bewußt wird, mit dem Kopf gegen eine Wand, und das den größten Teil seines Lebens. Er raucht nur fünf am Tag, weil er sich nicht mehr leisten kann oder sich Sorgen um seine Gesundheit macht. Es ist einfach, einen starken Raucher davon zu überzeugen, daß ihm das Rauchen keinen Genuß bereitet, doch versuchen Sie einmal, einen Gelegenheitsraucher davon zu überzeugen. Jeder, der schon einmal versucht hat, weniger zu rauchen, weiß, daß das eine echte Tortur ist, fast eine Garantie, für den Rest seines Lebens abhängig zu bleiben.

Der Raucher, der nur morgens und abends raucht: Er bestraft sich während einer Tageshälfte mit Entzugsstreß, um ihn dann in der anderen Tageshälfte zu beseitigen. Wieder sollten Sie ihn fragen, warum er nicht den ganzen Tag raucht, wenn es ihm einen solchen Genuß verschafft, oder warum er überhaupt raucht, falls er keinen Genuß davon hat.

Der Quartalsraucher: (Oder: »Ich kann jederzeit aufhören. Ich hab's schon tausendmal gemacht.«) Wenn er das Rauchen so genießt, warum hört er dann ein Vierteljahr lang damit auf? Wenn er es nicht genießt, warum fängt er dann wieder damit an? In Wirklichkeit wird er nie frei von seiner Sucht. Zwar löst er sich aus seiner körperlichen Abhängigkeit, doch das Hauptproblem bleibt – die Gehirnwäsche. Jedesmal hofft er, nun endgültig aufzuhören, doch bald tappt er schon wieder in die Falle. Viele Raucher beneiden diesen Raucher, der immer wieder aufhört und anfängt. Sie denken: »Wie gut, wenn man es so kontrollieren kann, daß man raucht, wenn man mag, und jederzeit wieder aufhören kann.« Doch sie übersehen, daß diese Art von Raucher gar nichts kontrollieren kann. Wenn sie rauchen, wünschten sie, sie täten es nicht. Dann hören sie auf und machen die ganze Plackerei durch, die damit verbunden ist. Schließlich überwältigt sie das Gefühl, ihnen fehle etwas, und sie gehen wieder in die Falle. Dann wünschten sie, sie würden nicht rauchen. Sie haben sich von jeder Seite das Schlimmste ausgesucht. Wenn sie rauchen, möchten sie gern zum Nichtraucher werden, und wenn sie das geschafft haben, würden sie gern wieder rauchen. Wenn man es sich recht überlegt, trifft das auch auf den normalen Raucher zu. Wenn wir rauchen dürfen, ist es für uns nichts besonderes, oder wir ließen es sogar am liebsten bleiben. Nur wenn wir nicht rauchen dürfen, werden Zigaretten für uns zur Kostbarkeit. Das ist das grausame Dilemma, in dem der Raucher steckt. Er kann ihm nie entrinnen, weil er einem Mythos, einer Illusion nachhängt. Es gibt nur einen Ausweg: Aufhören zu rauchen und der Illusion nachzujammern!

Der Raucher, der nur bei besonderen Gelegenheiten raucht. Ja, das tun wir anfangs alle, doch ist es nicht erstaunlich, wie rasch sich die Anzahl der Gelegenheiten zu vermehren scheint, und bevor wir uns umsehen, scheinen wir bei jeder Gelegenheit zu rauchen?

Der Raucher, der aufgehört hat, aber immer noch eine Gelegenheitszigarette oder -zigarre raucht. In gewisser Hinsicht ist er am schlimmsten dran. Entweder hat er ständig das Gefühl, er müsse etwas entbehren, oder aus der Gelegenheitszigarre werden des öfteren zwei. Er steht auf einem rutschigen Seil, das nur in eine Richtung führt – nach unten. Früher oder später wird er wieder heftig rauchen. Er ist in dieselbe Falle gegangen wie damals, als er anfing zu rauchen.

Es gibt noch zwei weitere Kategorien von Gelegenheitsrauchern. Erstens den Typ, der nur bei geselligen Anlässen eine Gelegenheitszigarette oder -zigarre raucht. Diese Raucher sind im Grunde Nichtraucher. Das Rauchen ist kein Genuß für sie. Sie haben nur das Gefühl, sie würden sich sonst ausschließen. Sie möchten dazugehören. So fangen wir ja alle an. Wenn das nächste Mal Zigarren herumgereicht werden, beobachten Sie einmal, wie die Raucher nach einiger Zeit diese Zigarren gar nicht mehr anzünden. Sogar starke Zigarettenraucher können es kaum erwarten, bis sie sie fertig geraucht haben. Sie würden viel lieber ihre eigene Marke rauchen. Je teurer und größer die Zigarre, desto größer der Frust – das verdammte Ding scheint den ganzen Abend zu überdauern.

Raucher der zweiten Kategorie sind sehr selten anzutreffen. Mir fallen von all den Tausenden, die meinen Beistand gesucht haben, nur ungefähr ein Dutzend Beispiele ein. Dieser Typ läßt sich am besten beschreiben, indem ich Ihnen einen meiner letzten Fälle vorstelle.

Eine Frau rief mich an und bat mich um eine private Sitzung. Sie ist Anwältin, hatte etwa zwölf Jahre lang geraucht, und zwar nie mehr oder nie weniger als zwei Zigaretten am Tag. Sie war übrigens eine äußerst willensstarke Dame. Ich erklärte ihr, daß die Erfolgsquote bei Gruppenberatungen höher liegt als bei Einzelberatungen, und daß ich Einzelstunden nur mit Personen abhalten könnte, die wegen ihrer Berühmtheit die Gruppe beeinträchtigen würden. Sie begann zu weinen, und ich konnte ihren Tränen nicht widerstehen.

Die Sitzung war teuer; die meisten Raucher wundern sich wohl, warum diese Frau überhaupt aufhören wollte zu rauchen. Sie würden freudigst die Summe hinblättern, die ich von der Dame verlangte, wenn sie das in die Lage versetzte, nur zwei Zigaretten am Tag zu rauchen. Sie nehmen fälschlicherweise an, Gelegenheitsraucher seien zufriedener und hätten die Sache besser unter Kontrolle. Das mit der Kontrolle mag schon stimmen, aber glücklicher sind diese Raucher deswegen nicht. In diesem Fall waren beide Eltern der Frau an Lungenkrebs gestorben, bevor sie nikotinabhängig wurde. Wie ich, hatte sie große Angst vor dem Rauchen, bevor sie die erste Zigarette rauchte. Wie ich, fiel sie schließlich dem massiven Druck von außen zum Opfer und probierte ihre erste Zigarette. Wie ich, kann sie sich erinnern, daß sie scheußlich schmeckte. Anders als ich, der kapitulierte und sehr schnell zum Kettenraucher wurde, schaffte sie es, nicht so tief zu sinken.

Der einzige Genuß, den einem eine Zigarette je verschaffen kann, besteht in der Beendigung des gierigen Verlangens danach, des kaum wahrnehmbaren körperlichen Verlangens nach Nikotin oder der psychischen Folter, sich nicht kratzen zu dürfen, wenn es einen juckt. Die Zigaretten selbst sind nur Dreck und Gift. Nur wenn man eine Weile nicht geraucht hat, leidet man an der Illusion, sie zu genießen. Genau wie bei Hunger und Durst ist die Befriedigung um so größer, je länger man verzichten mußte. Raucher begehen den Fehler, sich einzureden, Rauchen sei nur eine Angewohnheit. Sie glauben: »Wenn ich es schaffe, mich auf eine gewisse Stückzahl zu beschränken oder nur bei besonderen Anlässen zu rauchen, werden Gehirn und Körper sich darauf einstellen. Dann kann ich meinen Zigarettenkonsum niedrig halten oder weiter einschränken, wenn ich es möchte.« Machen Sie sich eines klar: Es handelt sich nicht um eine »Gewohnheit«. Rauchen ist eine Drogensucht. Jeder Süchtige tendiert dazu, seine Entzugssymptome zu beseitigen, und nicht dazu, sie zu ertragen. Sogar wenn Sie auf dem Niveau bleiben wollten, auf dem Sie gerade sind, müßten Sie Ihr restliches Leben lang Willenskraft und Disziplin aufbieten, weil Ihr Körper allmählich immun gegen die Droge wird und immer mehr davon braucht statt immer weniger. Und in dem Maße, wie die Droge Sie körperlich und psychisch zu zerstören beginnt, wie sie allmählich an Ihrem Nervensystem, Ihrer Vitalität und Ihrem Selbstvertrauen nagt, werden Sie dem Drang, in immer kürzeren Abständen zu rauchen, immer weniger widerstehen können. Darum können wir in der Anfangszeit unseres Raucherlebens gut auf Zigaretten verzichten. Wenn wir uns erkälten, setzen wir einfach aus. Und das erklärt auch, warum jemand wie ich, der sich nie vorgaukelte, das Rauchen zu genießen, sein Dasein als Kettenraucher fristen mußte, obwohl jede Zigarette zur körperlichen Qual geworden war.

Beneiden Sie diese Frau nicht. Wenn Sie nur eine Zigarette alle zwölf Stunden rauchen, wird sie Ihnen als das Kostbarste vorkommen, was es auf dieser Welt gibt. Zwölf Jahre lang war diese arme Frau von den schwersten inneren Kämpfen zerrissen. Sie war nicht in der Lage, das Rauchen aufzugeben, fürchtete sich aber dermaßen davor, Lungenkrebs wie ihre Eltern zu bekommen, daß sie sich davor hütete, mehr zu rauchen. Doch an jedem einzelnen Tag mußte sie dreiundzwanzig Stunden und zehn Minuten gegen die Versuchung ankämpfen. So etwas verlangt ungeheure Willenskraft, und daher sind solche Fälle selten. Doch am Schluß war die Frau ein in Tränen aufgelöstes Nervenbündel. Betrachten Sie die Sache doch einfach logisch: Entweder bietet Rauchen einen echten Vorteil oder Genuß, oder es bietet ihn nicht. Wäre das der Fall, warum sollte man dann eine Stunde, einen Tag, eine Woche lang darauf verzichten? Warum sollte man sich den Vorteil oder Genuß versagen? Wenn dabei kein wirklicher Vorteil oder Genuß herausspringt, warum sollte man dann überhaupt rauchen?

Ich erinnere mich an einen anderen Fall, an einen Mann, der fünf Zigaretten am Tag rauchte. Er begann unser Telefongespräch mit krächzender Stimme: »Mr. Carr, bevor ich sterbe, möchte ich aufhören zu rauchen.« Und so schilderte dieser Mann sein Leben: »Ich bin jetzt einundsechzig. Durch das Rauchen habe ich Kehlkopfkrebs bekommen. Jetzt darf ich mir täglich nur noch fünf Zigaretten drehen.

Früher habe ich die Nächte tief und fest durchgeschlafen. Jetzt wache ich stündlich auf und kann an nichts anderes mehr denken als an Zigaretten. Sogar wenn ich schlafe, träume ich vom Rauchen. Meine erste Zigarette darf ich erst um zehn Uhr vormittags rauchen. Ich stehe um fünf Uhr auf und mache mir einen Tee nach dem anderen. Meine Frau steht gegen acht auf, und weil ich so schlecht gelaunt bin, schmeißt sie mich aus dem Haus. Ich gehe ins Gewächshaus und versuche, dort herumzuwirtschaften, aber meine Gedanken sind vom Rauchen besessen. Um neun Uhr fange ich an, meine erste Zigarette zu drehen, und ich mache das solange, bis sie perfekt ist. Ob sie perfekt ist oder nicht, ist mir zwar scheißegal, aber wenigstens habe ich so eine Beschäftigung. Dann warte ich, bis es zehn Uhr ist. Zu diesem Zeitpunkt zittern meine Hände unkontrollierbar. Ich zünde mir die Zigarette nicht sofort an. Wenn ich das täte, müßte ich drei Stunden bis zur nächsten warten. Schließlich zünde ich die Zigarette an, rauche einen Zug und drücke sie sofort aus. Mit diesem Trick kann ich eine Zigarette auf eine Stunde ausdehnen. Ich rauche, bis der Stummel noch ungefähr einen halben Zentimeter lang ist, dann warte ich auf die nächste.«

Zu alledem kamen noch Verbrennungen auf den ganzen Lippen hinzu, weil dieser Mann die Zigaretten zu weit hinunterrauchte. Wahrscheinlich haben Sie jetzt einen mitleiderregenden Schwachkopf vor Augen. Dem war nicht so. Der Mann war über einsneunzig groß, ein ehemaliger Unteroffizier in der Marine. Früher war er Sportler und hatte nie die Absicht zu rauchen. Doch im letzten Krieg herrschte die irrige Annahme, Zigaretten gäben Mut, und unter den Soldaten wurden Freirationen verteilt. Diesem Mann wurde sozusagen befohlen, ein Raucher zu werden. Den Rest seines Lebens hat er teuer dafür bezahlt, die Steuern anderer Leute subventioniert und sich dafür körperlichen und geistigen

Ruin eingehandelt. Wäre er ein Tier, hätte er schon längst den Gnadenschuß bekommen. Doch unsere Gesellschaft läßt es immer noch zu, daß psychisch und körperlich gesunde junge Leute systematisch in die Sucht getrieben werden.

Vielleicht halten Sie den geschilderten Fall für übertrieben. Er ist sicher ein Extremfall, aber kein Einzelfall. Es gibt Tausende ähnlicher Fälle. Dieser Mann schüttete mir sein Herz aus, aber Sie können sicher sein, daß ihn viele seiner Freunde und Bekannten beneideten, weil er nur fünf Zigaretten pro Tag rauchte. Falls Sie glauben, Ihnen könnte so etwas nicht passieren, dann **hören Sie bitte auf, sich etwas vorzumachen.**

Denn es passiert bereits.

Auf jeden Fall sind Raucher notorische Lügner, auch sich selbst gegenüber. Das müssen sie sein. Die meisten Gelegenheitsraucher rauchen wesentlich mehr Zigaretten bei wesentlich mehr Anlässen, als sie sich eingestehen. Ich hatte viele Gespräche mit Leuten, die angeblich nur fünf Zigaretten täglich rauchen, dieses Limit aber schon während unseres Gesprächs überschritten. Beobachten Sie Gelegenheitsraucher bei gesellschaftlichen Ereignissen wie Hochzeiten oder Partys. Sie stehen den erklärten Kettenrauchern in nichts nach.

Sie brauchen Gelegenheitsraucher nicht zu beneiden. Sie brauchen überhaupt nicht zu rauchen. Ohne Zigaretten ist das Leben unendlich viel schöner.

Teenager sind im allgemeinen schwerer vom Rauchen abzubringen, nicht weil es ihnen schwer fiele, damit aufzuhören, sondern weil sie nicht glauben, daß sie bereits süchtig sind, oder weil sie sich im ersten Krankheitsstadium befinden und die Illusion hegen, sie würden vor dem zweiten Stadium schon von selbst aufhören. Ich möchte vor allem diejenigen Eltern warnen, deren Kinder das Rauchen hassen: Wiegen Sie

112

sich nicht in falscher Sicherheit! Alle Kinder hassen den Geruch und Geschmack von Tabak, bis sie ihm selbst auf den Leim gegangen sind. Auch bei Ihnen ist das einmal so gewesen. Verlassen Sie sich auch nicht auf die staatlichen Abschreckungskampagnen. Die Falle ist dieselbe wie immer. Kinder wissen, daß Zigaretten den Menschen umbringen, aber sie wissen auch, daß eine Zigarette einen nicht umbringt. Irgendwann werden sie vielleicht von einem Freund oder einer Freundin, einem Mitschüler oder Arbeitskollegen beeinflußt. Vielleicht glauben Sie, Ihr Kind bräuchte nur mal eine einzige Zigarette zu probieren, die schrecklich schmecken und es davon abhalten wird, in die Falle zu gehen. *Warnen Sie Ihre Kinder vor den harten Fakten.*

26 | Der heimliche Raucher

Der heimliche Raucher könnte zu den Gelegenheitsrauchern gerechnet werden, doch die Wirkungen des heimlichen Rauchens sind so hinterhältig, daß sie ein eigenes Kapitel verdienen. Persönliche Beziehungen können daran zerbrechen. In meinem Fall hätte es beinahe zur Scheidung geführt.

Ich erinnere mich an eine Zeit, wo ich wieder einmal vergeblich versuchte, mit dem Rauchen aufzuhören. Der Anlaß für meine Bemühungen war die Besorgnis meiner Frau wegen meines ständigen Hustens und meiner Atemnot. Ich hatte ihr erwidert, daß ich mir keine Sorgen um meine Gesundheit mache. Sie sagte: »Ich weiß, daß du dir keine Sorgen machst, aber wie würdest du dich fühlen, wenn du zusehen mußt, wie sich ein geliebter Mensch systematisch selbst zerstört?« Das war ein Argument, dem ich nichts entgegensetzen konnte, daher versuchte ich also, mit dem Rauchen aufzuhören. Der Versuch endete drei Wochen später, nach einem hitzigen Streit mit einem alten Freund. Erst Jahre später erkannte ich, daß ich diesen Streit in meiner geistigen Verwirrtheit absichtlich provoziert hatte. Damals jedoch fühlte ich mich zu Recht gekränkt. Doch der Streit war kein Zufall, weil ich mit diesem Freund weder vorher noch nachher je gestritten habe. Er war eindeutig ein Werk der kleinen Bestie. Jedenfalls hatte ich meine Ausrede. Ich brauchte unbedingt eine Zigarette und begann wieder zu rauchen.

Ich konnte den Gedanken nicht ertragen, wie enttäuscht meine Frau darüber sein würde, deshalb sagte ich ihr einfach nichts. Ich rauchte nur, wenn ich allein war. Dann rauchte ich allmählich in Gesellschaft von Freunden, bis es so weit kam, daß jeder wußte, daß ich rauchte, nur meine Frau nicht. Ich erinnere mich, daß ich damals ganz zufrieden mit mir war. Ich dachte: »Na ja, wenigstens rauche ich auf diese Weise weniger.« Schließlich sagte sie mir auf den Kopf zu, ich würde weiterrauchen. Ich selbst hatte es gar nicht bemerkt, doch sie rechnete mir vor, wie oft ich einen Streit angefangen hatte und aus dem Haus gestürmt war. Andere Male hatte ich zwei Stunden gebraucht, um eine Kleinigkeit einzukaufen, und bei Gelegenheiten, bei denen ich sie normalerweise eingeladen hätte, mich zu begleiten, hatte ich mich mit schwachen Ausflüchten herausgeredet, um allein gehen zu können.

Die soziale Kluft zwischen Rauchern und Nichtrauchern wird immer größer, und Tausende meiden wegen dieser fürchterlichen Sucht die Gesellschaft von Freunden oder Verwandten oder sehen sie nur noch selten. Das Schlimmste am heimlichen Rauchen ist, daß es im Raucher die Illusion stärkt, er müsse etwas entbehren. Gleichzeitig bringt es einen erheblichen Verlust an Selbstachtung mit sich; ein ansonsten wahrheitsliebender Mensch zwingt sich, seine Familie und Freunde zu täuschen.

Das haben Sie wahrscheinlich selbst schon einmal in irgendeiner Form erlebt oder erleben es noch immer.

27 | Sozialer Druck?

Der Hauptgrund, warum seit den sechziger Jahren über zehn Millionen Menschen in Großbritannien aufgehört haben zu rauchen, ist der gesellschaftliche Wandel, der gerade stattfindet.

Ja, ich weiß: Gesundheit und an zweiter Stelle Geld sind die Hauptgründe, warum wir aufhören sollten zu rauchen, doch diese Gründe waren schon immer vorhanden. Wir brauchen nicht wirklich die erschreckenden Berichte über Krebs zu lesen, um zu wissen, daß Zigaretten unser Leben bedrohen. Unsere Körper sind hoch entwickelte Instrumente, und jeder Raucher weiß sofort, vom ersten Zug an, daß Zigaretten giftig sind.

Der einzige Grund, warum wir uns aufs Rauchen einlassen, ist der soziale Druck, der von unseren Freunden ausgeht. Das einzige echte Plus, das das Rauchen je für sich verbuchen konnte, war, daß es einmal als gesellschaftlich völlig akzeptabel galt. Heute wird es allgemein, sogar von Rauchern selbst, als unsoziales Verhalten verurteilt.

Früher mußte der starke Mann einfach rauchen. Wer nicht rauchte, galt als Weichling, und wir gaben uns alle große Mühe, uns das Rauchen anzugewöhnen. In jeder Kneipe oder Clubbar atmete die Mehrzahl der Männer stolz Tabakrauch ein und aus. Immer hingen dicke Rauchschwaden in der Luft, und alle Decken, die nicht regelmäßig gestrichen wurden, wurden bald gelb und braun. Heute ist die Situation umgekehrt. Der starke Mann von heute braucht nicht zu rauchen. Der starke Mann von heute ist nicht von einer Droge abhängig.

Im Zuge dieses sozialen Wandels denken alle Raucher heutzutage ernsthaft daran, das Rauchen aufzugeben, und wer raucht, gilt im allgemeinen als schwach.

Als bedeutendster Trend, seit ich 1985 die erste Fassung dieses Buches schrieb, fiel mir auf, daß der antisoziale Aspekt des Rauchens immer stärker hervorgehoben wird. Die Tage, als die Zigarette das stolze Abzeichen der kultivierten Frau oder des harten Burschen waren, sind für immer vorbei. Jeder weiß heute, daß Raucher nur aus einem einzigen Grund weiterrauchen: weil sie mit ihrem Versuch, das Rauchen aufzuhören, gescheitert sind, oder weil sie zu große Angst davor haben, einen solchen Versuch zu unternehmen. Jeden Tag bekommt der Raucher die soziale Ächtung zu spüren: durch Rauchverbote in Büros, rauchfreie Zonen in öffentlichen Einrichtungen, Angriffe von Ex-Rauchern, die sich päpstlicher als der Papst geben. Das Verhalten der Raucher wird immer gezwungener. Ich habe in letzter Zeit Situationen erlebt, die mir noch aus meiner Jugend im Gedächtnis haften, mir aber jahrelang nicht untergekommen sind – zum Beispiel Raucher, die Asche in ihre Hände oder Taschen schnippten, weil sie zu verlegen waren, um nach einem Aschenbecher zu fragen.

Vor etwa drei Jahren war ich am Weihnachtsfeiertag in einem Restaurant. Es war Mitternacht. Jeder war mit dem Essen fertig. Zu einem Zeitpunkt, der normalerweise für eine Zigarette oder Zigarre reif war, rauchte kein Mensch. Eingebildet dachte ich: »Ah! Mein Buch zeigt allmählich Wirkung.« Ich fragte den Ober: »Ist das jetzt ein Nichtraucher-Restaurant?« Er verneinte. Ich dachte: »Wie seltsam. Ich weiß, daß viele Leute das Rauchen aufgeben, aber es muß doch einen Raucher hier geben.« Schließlich zündete sich jemand in einer Ecke eine an, woraufhin es wie ein Leuchtfeuer durchs Restaurant blitzte. Alle Raucher waren dagesessen und hatten sich überlegt: »Ich kann doch nicht der einzige Raucher hier sein!«

Viele Raucher rauchen zwischen den Gängen eines Menüs nicht, weil sie so gehemmt sind. Viele entschuldigen sich nicht nur bei Leuten, die am selben Tisch sitzen, sondern blicken auch herum, ob sie wohl von anderer Seite Beschuß zu erwarten haben. Während täglich mehr Raucher das sinkende Schiff verlassen, überfällt diejenigen, die noch darauf sitzen, die Panik, sie könnten die letzten sein.

Sorgen Sie dafür, daß nicht Sie es sind.

28 | Der richtige Zeitpunkt

Abgesehen von der offensichtlichen Tatsache, daß Ihnen das Rauchen nicht gut tut und deshalb jetzt der richtige Moment zum Aufhören gekommen ist, glaube ich an die Wichtigkeit der Wahl eines geeigneten Zeitpunkts. Unsere Gesellschaft bewertet das Rauchen leichthin als unangenehme Gewohnheit, die die Gesundheit beeinträchtigen kann. Das ist es nicht. Es ist eine Drogensucht, eine Krankheit und der Killer Nummer eins in der westlichen Gesellschaft. Das Schlimmste, was im Leben der meisten Raucher passiert, ist, daß sie abhängig von diesem fürchterlichen Kraut werden. Bleibt es dabei, passieren entsetzliche Dinge. Die Wahl des richtigen Zeitpunkts ist wichtig, weil Sie das Recht auf gute Heilungschancen haben.

Überlegen Sie erst einmal, zu welchen Zeiten oder Anlässen Ihnen das Rauchen wichtig erscheint. Wenn Sie ein Geschäftsmann sind und deshalb rauchen, weil Sie sich vorgaukeln, Zigaretten erleichtern Ihnen den Streß, dann wählen Sie einen Zeitraum, in dem relativ wenig los ist; der Jahresurlaub bietet sich an. Wenn Sie vor allem beim Entspannen rauchen, oder wenn Ihnen langweilig ist, gilt das Gegenteil. Auf jeden Fall sollten Sie das Thema ernsthaft durchdenken und Ihren Versuch zu der wichtigsten Sache in Ihrem Leben machen.

Blättern Sie in Ihrem Kalender nach einem Zeitraum von etwa drei Wochen und versuchen Sie dabei, alle Ereignisse zu berücksichtigen, die zum Scheitern führen könnten. Anlässe wie eine Hochzeit oder Weihnachten brauchen Sie nicht unbedingt von Ihrem Versuch abzuhalten, vorausgesetzt, Sie stellen sich darauf ein und haben nicht das Gefühl, Sie müßten Mangel leiden. Versuchen Sie nicht, in der Zwischenzeit das Rauchen einzuschränken, weil das nur die Täuschung erzeugt, Zigaretten seien ein Genuß. Es hilft sogar, wenn Sie sich soviele der schmutzigen Dinger wie möglich den Hals hinunterzwingen. Während Sie Ihre letzte Zigarette rauchen, achten Sie bewußt auf den Gestank und schlechten Geschmack und denken, wie wunderbar es sein wird, wenn Sie sich selbst gestatten, damit aufzuhören.

Was Sie auch vorhaben, verfallen Sie nicht in den Fehler, zu sagen: »Jetzt nicht. Später.«, und die Sache zu verdrängen. Stellen Sie jetzt Ihren Zeitplan auf und freuen Sie sich darauf.

Erinnern Sie sich daran, daß Sie nichts aufgeben. Im Gegenteil: Sie werden bald wunderbare Geschenke empfangen.

Schon jahrelang rede ich davon, daß ich mehr über die Geheimnisse des Rauchens weiß als sonst jemand auf diesem Planeten. Das Problem ist folgendes: Obwohl jeder Raucher nur deshalb raucht, um sein chemisch bedingtes Gefühl nach

Nikotin zu stillen, macht nicht die Nikotinsucht selbst den Raucher abhängig, sondern die Gehirnwäsche, die der Sucht auf dem Fuße folgt. Ein intelligenter Mensch fällt einmal auf eine Bauernfängerei herein. Aber nur ein Dummkopf wird immer wieder darauf hereinfallen, wenn er die Bauernfängerei einmal als solche entlarvt hat. Zum Glück sind die meisten Raucher keine Dummköpfe; sie halten sich lediglich dafür. Jedes rauchende Individuum hat seine eigene, persönliche Form der Gehirnwäsche hinter sich. Deshalb scheint es so viele Typen von Rauchern zu geben, was die Sache noch undurchsichtiger macht.

Wenn ich die fünf Jahre Feedback seit dem ersten Erscheinen dieses Buches überblicke und bedenke, daß ich täglich etwas Neues übers Rauchen dazulerne, bin ich angenehm überrascht, daß die in der Erstausgabe dargelegten Grundgedanken immer noch gültig sind. Mit den Jahren habe ich eine Menge Erfahrungen angesammelt, wie ich dieses Wissen jedem Raucher individuell am besten vermitteln kann. Daß ich weiß, wie leicht jeder Raucher seine Sucht aufgeben und den Entzug sogar als angenehm empfinden kann, ist nicht nur wirkungslos, sondern äußerst frustrierend, wenn es mir nicht gelingt, dem Raucher das auch klarzumachen.

Oft habe ich gehört: »Sie sagen, man solle weiterrauchen, bis man das Buch fertiggelesen hat. Das führt dazu, daß der Raucher ewig braucht, um das Buch zu lesen, oder es einfach nicht fertigliest und damit Schluß. Deshalb sollten Sie diesen Punkt ändern.« Das klingt logisch, aber würde ich sagen: »Hören Sie sofort mit dem Rauchen auf«, dann würden manche Raucher gar nicht anfangen, dieses Buch zu lesen.

In meinen Anfangstagen suchte mich ein Raucher auf, der sagte: »Ich ärgere mich grün und blau darüber, daß ich Sie um Hilfe bitten muß. Ich weiß, daß ich einen starken Willen habe. In jedem anderen Bereich meines Lebens bestimme ich, was geschieht. Warum können alle anderen Raucher allein durch Willenskraft das Rauchen aufgeben, und ich muß zu Ihnen kommen?« Er fuhr fort: »Ich glaube, ich könnte es allein schaffen, wenn ich dabei rauchen könnte.«

Das klingt paradox, aber ich weiß, was der Mann meinte. Wir glauben, das Rauchen aufzugeben sei etwas äußerst Schwieriges. Was brauchen wir bei Schwierigkeiten? Wir brauchen unseren kleinen Freund. Auch darauf noch verzichten zu müssen, trifft uns doppelt. Wir müssen nicht nur eine schwierige Aufgabe bewältigen, was schon schlimm genug ist; auch die kleine Hilfe, auf die wir bei solchen Gelegenheiten normalerweise zurückgreifen, steht nicht mehr zur Verfügung.

Erst lange nach der Beratung dieses Mannes ging mir auf, daß die wahre Raffinesse meiner Methode genau in dieser Forderung des Weiterrauchens besteht. Sie können weiterrauchen, während Sie den Prozeß des Aufhörens durchlaufen. Erst befreien Sie sich von allen Zweifeln und Ängsten, und wenn Sie schließlich Ihre letzte Zigarette ausdrücken, sind Sie bereits ein Nichtraucher und genießen es, einer zu sein.

Oben empfehle ich Ihnen, sich an die Urlaubszeit zu halten, falls Sie immer bei Streßsituationen am Arbeitsplatz zur Zigarette greifen, und umgekehrt. Eigentlich ist das nicht die einfachste Methode. Die einfachste Methode wäre, sich den *schwierigsten* Zeitraum herauszusuchen, wenn sich gesellige Anlässe häufen, Sie Streß oder Langeweile ausgesetzt sind oder sich konzentrieren müssen. Sobald Sie sich einmal bewiesen haben, daß Sie auch in den schlimmsten Situationen mit dem Leben fertig werden und es obendrein noch genießen, wird jede andere Situation zum Kinderspiel. Gäbe ich Ihnen aber eine solche Anweisung, würden Sie dann überhaupt einen Versuch machen, mit dem Rauchen aufzuhören?

Dazu möchte ich einen Vergleich bringen. Meine Frau und ich gehen gern gemeinsam schwimmen. Wir kommen zwar gleichzeitig im Schwimmbad an, schwimmen aber selten zusammen. Der Grund: Sie taucht erst mal einen Zeh ins Wasser, und eine halbe Stunde später schwimmt sie tatsächlich. Ich kann diese langgezogene Tortur nicht ausstehen. Ich weiß, daß ich mich irgendwann dem Wasser, egal, wie kalt es ist, aussetzen muß. Also mache ich es auf die einfache Art: Ich stürze mich sofort rein. Nehmen wir einmal an, ich erklärte ihr kategorisch, falls sie sich nicht ebenfalls sofort reinstürzte, könnte sie überhaupt nicht schwimmen. Ergebnis: Sie würde auch nicht schwimmen. Das Problem ist klar.

Aus Erfahrung weiß ich, daß viele Raucher meine Empfehlung zur Wahl des richtigen Zeitpunkts dazu benutzt haben, den Tag, den sie für ihr Verhängnis halten, immer weiter hinauszuschieben. Mein nächster Gedanke war, die Technik einzusetzen, die ich im Kapitel über die Vorzüge des Rauchens benutzt habe, etwa in der Richtung: »Die Wahl des richtigen Zeitpunkts ist sehr wichtig, und im nächsten Kapitel werde ich Ihnen einen Rat geben, wann Sie Ihren Versuch am besten starten.« Sie blättern um und lesen nur ein riesiges Jetzt. Das wäre tatsächlich der beste Rat, aber würden Sie ihn annehmen? Das ist das Verzwickte an der Raucherei. Wenn wir echtem Streß ausgeliefert sind, ist das nicht der richtige Zeitpunkt, um mit dem Rauchen aufzuhören; verläuft das Leben ohne Streß, wollen wir gar nicht aufhören.

Beantworten Sie für sich die folgenden Fragen.

Als Sie Ihre erste Zigarette rauchten, haben Sie damals wirklich beschlossen, Ihr restliches Leben lang weiterzurauchen, jeden Tag, den ganzen Tag, ohne je damit aufhören zu können?

Natürlich nicht!

Werden Sie den Rest Ihres Lebens weiterrauchen, jeden Tag, ohne je damit aufhören zu können?

Natürlich nicht!

Wann werden Sie also aufhören? Morgen? Nächstes Jahr? Übernächstes Jahr?

Haben Sie sich diese Frage nicht gestellt, seit Sie Ihre Abhängigkeit erkannt haben? Hoffen Sie, daß Sie eines Morgens aufwachen und einfach keine Lust mehr zu rauchen haben? Machen Sie sich nichts vor. Ich habe 33 Jahre auf so etwas gewartet. Die Abhängigkeit von Drogen nimmt zu, nicht ab. Sie glauben, morgen wird es einfacher sein? Sie machen sich immer noch etwas vor. Wenn Sie es heute nicht schaffen, wieso glauben Sie dann, daß es morgen einfacher sein wird? Werden Sie solange warten, bis Sie sich wirklich eine der tödlichen Krankheiten zugezogen haben? Das hätte nicht viel Sinn.

Die wirkliche Falle ist die Überzeugung, daß jetzt nicht der richtige Zeitpunkt ist – morgen wird es immer einfacher sein. Wir glauben, wir seien so gestreßt. Im Grunde stimmt das gar nicht. Den größten Streß haben wir aus unserem Leben beseitigt. Wenn wir aus dem Haus gehen, brauchen wir keine Angst zu haben, von wilden Tieren angefallen zu werden. Die meisten von uns brauchen sich keine Sorgen zu machen, woher sie die nächste Mahlzeit nehmen sollen, oder ob sie am Abend ein Dach über dem Kopf haben werden. Stellen Sie sich nur einmal das Leben eines Wildtieres vor. Jedesmal, wenn ein Kaninchen aus seinem Bau schlüpft, befindet es sich mitten im Guerillakrieg, und das sein Leben lang. Doch das Kaninchen wird damit fertig. Es besitzt Adrenalin und andere Hormone – wie wir auch. Die streßreichsten Lebensphasen für jedes Geschöpf sind in Wirklichkeit die Kindheit und

Jugend. Aber nach 3 Millionen Jahre natürlicher Auslese sind wir bestens gerüstet, Streß zu bewältigen. Bei Ausbruch des Kriegs war ich fünf Jahre alt. Wir wurden ausgebombt, und ich war zwei Jahre lang von meinen Eltern getrennt. Ich wurde bei Leuten untergebracht, die mich unfreundlich behandelten. Das war eine unangenehme Zeit in meinem Leben, aber ich wurde damit fertig. Ich glaube nicht, daß sie dauernde Narben in mir hinterlassen hat; im Gegenteil, ich glaube, daß dadurch meine Persönlichkeit gestärkt wurde. Wenn ich auf mein Leben zurückblicke, gibt es nur eines, womit ich nicht fertig wurde, und das war die Abhängigkeit von diesem teuflischen Kraut.

Vor ein paar Jahren glaubte ich, ich würde von einem Berg Sorgen erdrückt. Ich war in Selbstmordstimmung – nicht in dem Sinn, daß ich von einem Dach gesprungen wäre, sondern ich war mir ständig bewußt, daß mich das Rauchen bald umbringen würde. Ich dachte, wenn das Leben schon mit meinem kleinen Helfer so schrecklich ist, dann ist es ohne erst recht nicht lebenswert. Ich erkannte nicht, daß einen einfach alles fertigmacht, wenn man ein körperliches und psychisches Wrack ist. Jetzt fühle ich mich wieder wie ein junger Mann. Nur eins hat diese Veränderung in meinem Leben bewirkt: Ich rauche nicht mehr.

Ohne Gesundheit ist alles nichts. Das ist ein Klischee, aber die absolute Wahrheit. Früher gingen mir Fitneßfanatiker auf die Nerven. Ich tönte herum, daß es mehr im Leben gäbe als das Gefühl, fit zu sein: nämlich Alkohol und Tabak. Das ist Unsinn. Wenn Sie sich körperlich und psychisch stark fühlen, können Sie die Höhepunkte genießen und die Tiefpunkte überwinden. Wir verwechseln Streß mit Verantwortung. Verantwortung wird nur zum Streß, wenn wir uns nicht stark genug fühlen, sie zu tragen. Die Richard Burtons dieser Welt sind körperlich und psychisch stark. Was sie zerstört, ist nicht der Streß des Lebens oder ihr Job oder das Alter, sondern die kleinen Helfer, denen sie sich zuwenden, und die nichts weiter als Illusionen sind. Leider werden diese Helfer zu Mördern, in seinem Fall und in Millionen ähnlicher Fälle.

Betrachten Sie es einmal so. Sie haben bereits beschlossen, daß Sie nicht den Rest Ihres Lebens in der Falle sitzenbleiben wollen. Deshalb müssen Sie irgendwann in Ihrem Leben, ob Sie es nun einfach oder schwierig finden, sich daraus befreien. Rauchen ist weder eine Gewohnheit noch ein Vergnügen. Es ist eine Drogensucht und eine Krankheit. Wir haben bereits festgestellt, daß es nicht einfacher ist, erst morgen aufzuhören, sondern im Gegenteil immer schwieriger wird. Eine Krankheit, die sich laufend verschlimmert, sollte man am besten *jetzt sofort* auskurieren – oder jedenfalls so schnell, wie Sie es schaffen. Denken Sie nur daran, wie rasch jede Woche unseres Lebens verrinnt. Mehr ist nicht nötig. Denken Sie nur daran, wie schön es sein wird, den Rest Ihres Lebens ohne den ständig anwachsenden Schatten, der über Sie fällt, zu genießen. Und wenn Sie sich an meine sämtlichen Anweisungen halten, werden Sie keine fünf Tage zu warten brauchen. Sie werden es nicht nur einfach finden, nachdem Sie die letzte Zigarette ausgedrückt haben: **Sie werden es genießen!**

29 | Werde ich die Zigaretten vermissen?

Nein! Wenn die kleine Nikotinbestie tot ist und Ihr Körper nicht mehr nach Nikotin giert, werden sich auch die restlichen Spuren der Gehirnwäsche in Nichts auflösen, und Sie werden merken, daß Sie sowohl körperlich wie psychisch besser in der Lage sind, nicht nur mit Anspannung und Streß fertig zu werden, sondern auch die guten Zeiten voll auszukosten.

Nur eine einzige Gefahr droht, und zwar der Einfluß der Menschen, die immer noch rauchen. Daß die Kirschen in Nachbars Garten süßer schmecken, ist eine Binsenwahrheit, die für viele Bereiche unseres Lebens gilt und leicht einsichtig ist. Warum neigen Ex-Raucher dazu, Raucher zu beneiden, wo doch die Nachteile so gewaltig sind, verglichen mit den ohnehin nur eingebildeten »Vorzügen«?

In Anbetracht der Gehirnwäsche, der wir in unserer Kindheit unterzogen werden, ist es ganz selbstverständlich, daß wir in die Falle tappen. Warum rennen wir schnurstracks in dieselbe Falle zurück, obwohl wir erkannt haben, was für eine Idiotie das Rauchen ist, und viele von uns es schaffen, es sich abzugewöhnen? Das liegt am Einfluß der Raucher.

Meist passiert es bei geselligen Anlässen, vor allem nach dem Essen. Der Raucher zündet sich eine an, und der Ex-Raucher verspürt einen Stich. Das ist wirklich seltsam, vor allem, wenn Sie sich diese Ergebnisse einer Marktuntersuchung vergegenwärtigen: Nicht nur ist jeder Nichtraucher auf der Welt glücklich, daß er ein Nichtraucher ist, sondern jeder Raucher auf der Welt wünscht, sogar in seinem verbogenen, süchtigen, gewaschenen Gehirn und dem Irrglauben, das

Rauchen böte ihm Genuß oder Entspannung, er wäre nie abhängig geworden. Warum also beneiden manche Ex-Raucher den Raucher bei diesen Gelegenheiten? Dafür gibt es zwei Gründe.

1. »Nur eine Zigarette.« Denken Sie daran: Die gibt es nicht. Betrachten Sie diesen Anlaß nicht mehr isoliert, sondern vom Standpunkt des Rauchers aus. Möglicherweise beneiden Sie ihn, doch er selbst lehnt sein Verhalten ab; er beneidet Sie. Beobachten Sie andere Raucher. Sie können die beste Hilfe sein, Sie von Ihrer Sucht wegzubringen. Schauen Sie, wie rasch die Zigarette herunterbrennt, wie schnell der Raucher eine neue anzünden muß. Achten Sie vor allem darauf, daß er gar nicht merkt, daß er raucht, und wie er die Zigarette ganz automatisch anzündet. Denken Sie daran, daß er sie nicht genießt; er fühlt sich nur nicht wohl ohne sie. Denken Sie vor allem daran, daß er weiterrauchen muß, wenn er Ihre Gesellschaft verläßt. Am nächsten Morgen, wenn er mit einer Brust wie eine Jauchegrube aufwacht, wird er sich weiter selbst die Luft abdrehen. Beim nächsten Schmerz in der Brust, beim nächsten Weltnichtraucchertag, beim nächsten Mal, wenn er versehentlich einen Blick auf den Warnhinweis des Gesundheitsministeriums wirft, bei der nächsten Anti-Krebs-Kampagne, das nächste Mal in der Kirche, in der U-Bahn, in einem Krankenhaus, in der Bücherei, beim Zahnarzt, beim Arzt, im Supermarkt usw., das nächste Mal in der Gesellschaft eines Nichtrauchers, sein Leben lang muß er diese Last weiter mit sich herumschleppen, teuer für das Privileg bezahlen, daß er sich selbst körperlich und psychisch zugrunde richten darf. Ihm steht ein Leben voll Schmutz, Mundgeruch, fleckigen Zähnen, der Sklaverei,

der Selbstzerstörung, der schwarzen Schatten im rin-
terkopf bevor. Und welchem Zweck dient das Ganze?
Der Illusion, wieder den Zustand zu erreichen, in dem er
war, bevor er nikotinsüchtig wurde.

2. Der zweite Grund, warum einige Ex-Raucher bei solchen Gelegenheiten Stiche verspüren, ist, daß der Raucher aktiv etwas tut, nämlich eine Zigarette raucht, und
der Nichtraucher nicht, daher hat er das Gefühl, er ent-
behre etwas. Prägen Sie sich folgendes ein, bevor Sie
anfangen: Nicht der Nichtraucher entbehrt etwas. Der
arme Raucher entbehrt etwas, nämlich:

Gesundheit
Energie
Geld
Selbstvertrauen
Inneren Frieden
Mut
Gelassenheit
Freiheit
Selbstachtung.

Gewöhnen Sie sich ab, Nichtraucher zu beneiden, und beginnen Sie, sie als die kläglichen, bedauernswerten Geschöpfe zu
sehen, die sie wirklich sind. Ich weiß, ich war von allen der
Schlimmste. Deshalb lesen Sie dieses Buch, und wer diesen
Tatsachen nicht ins Auge sehen kann, wer sich weiter etwas
vormachen muß, ist am bedauernswertesten von allen.

Einen Heroinsüchtigen würden Sie nicht beneiden. An
Heroin sterben in England weniger als dreihundert Menschen
jährlich. Nikotin hat jährlich über hunderttausend Tote auf
dem Gewissen, weltweit 2,5 Millionen Menschen. Es hat

bereits mehr Menschen auf diesem Planeten umgebracht, als sämtliche Kriege der Geschichte zusammengenommen. Wie jede Drogensucht wird auch die Ihre nicht von selbst besser. Sie wird nur jährlich schlimmer. Wenn Sie es schon heute nicht genießen, ein Raucher zu sein, dann werden Sie es morgen um so weniger genießen. Beneiden Sie andere Raucher nicht. Haben Sie Mitleid mit ihnen. Glauben Sie mir: **Sie brauchen Ihr Mitleid.**

30 | Werde ich zunehmen?

Dies ist ein weiterer Irrglaube, vor allem von Rauchern verbreitet, die es mit der »Methode Willenskraft« versuchen und zur Linderung der Entzugserscheinungen als Ersatz zu Süßigkeiten usw. greifen. Die Entzugserscheinungen bei Nikotin sind Hungersignalen sehr ähnlich; die beiden werden leicht verwechselt. Während Hunger aber durch Essen befriedigt wird, lassen sich die Erscheinungen bei Nikotinentzug nie ganz beseitigen. Wie bei jeder Droge wird der Körper nach einiger Zeit immun, und die Droge beseitigt die Entzugserscheinungen nicht mehr vollständig. Sobald wir eine Zigarette ausdrücken, sinkt der Nikotinspiegel in unserem Körper rasch, so daß der Nikotinsüchtige an einem ständigen Hungergefühl leidet. Die natürliche Tendenz geht dahin, schließlich zum Kettenraucher zu werden. Doch die meisten Raucher lassen es aus einem oder beiden der folgenden Gründe nicht dazu kommen:

1. Aus finanziellen Gründen – sie können es sich nicht leisten, mehr zu rauchen.

2. Aus gesundheitlichen Gründen – um die Entzugserscheinungen zu lindern, müssen wir ein Gift zu uns
nehmen, was automatisch die Zahl der Zigaretten, die
wir rauchen können, beschränkt.

Daher hungert der Raucher ständig nach Nikotin und kann
diesen Hunger nie stillen. Deshalb essen viele Raucher zuviel,
trinken zuviel oder wenden sich sogar härteren Drogen zu,
um die Leere zu füllen. (**Die meisten Alkoholiker sind starke
Raucher. Ich frage mich, ob es sich wirklich um ein Raucherproblem handelt?**)

Der Raucher neigt dazu, Zigaretten als Essensersatz zu
benutzen. In den Jahren meines eigenen Alptraums erreichte
ich ein Stadium, in dem ich ganz aufs Frühstück und Mittag-
essen verzichtete. Statt dessen rauchte ich tagsüber eine nach
der anderen. In den letzten Jahren freute ich mich immer auf
die Abende, weil ich nur dann aufhören konnte zu rauchen.
Allerdings war ich den ganzen Abend am Knabbern. Ich
dachte, ich sei hungrig, litt aber in Wirklichkeit an Nikotinentzug. Mit anderen Worten, tagsüber ersetzte ich Essen
durch Nikotin, und abends Nikotin durch Essen. Damals war
ich 13 Kilo schwerer als heute und konnte nichts dagegen tun.

Sobald die Bestie aus Ihrem Körper vertrieben ist, endet das
schreckliche flaue Gefühl. Ihr Selbstvertrauen kehrt zurück,
gleichzeitig ein wundervolles Gefühl der Selbstachtung. Sie
gewinnen die Sicherheit, Ihr Leben unter Kontrolle zu haben,
nicht nur Ihr Eßverhalten, sondern auch alles übrige. Das ist
einer der vielen unschätzbaren Vorteile des Nichtrauchens.
Wie gesagt beruht der Irrglaube des Zunehmens auf dem
Griff nach Ersatzbefriedigungen während der Entzugsperiode. Sie erleichtern Ihnen das Aufhören nicht, sondern
erschweren es nur. Das wird ausführlicher in einem späteren
Kapitel erklärt, das sich mit Ersatzbefriedigungen befaßt.

31 | Falsche Motivationen meiden

Viele Raucher, die nach der »Methode Willenskraft« vorgehen, versuchen, ihre Motivation zu stärken, und sammeln sich dazu alle möglichen falschen Beweggründe zusammen.

Dafür gibt es viele Beispiele. Typisch dafür ist: »Meine Familie und ich können einen tollen Urlaub von dem Geld machen, das ich sparen werde.« Das scheint ein logischer und vernünftiger Gedanke zu sein, ist aber im Grunde falsch, weil jeder Raucher mit etwas Selbstachtung lieber 52 Wochen im Jahr rauchen und dafür auf den Urlaub verzichten würde. Jedenfalls nagen Zweifel an ihm, denn er muß nicht nur 50 Wochen lang auf Zigaretten verzichten, sondern ist sich auch nicht sicher, ob er einen Urlaub ohne Zigaretten überhaupt genießen kann. Ein solches Motiv verstärkt im Raucher nur das Gefühl, ein riesiges Opfer zu bringen, was die Zigaretten in seiner Vorstellung sogar noch kostbarer macht. Statt dessen sollte er sich lieber auf die andere Seite konzentrieren: »Was habe ich denn eigentlich vom Rauchen? Warum muß ich überhaupt rauchen?« Ein weiteres Beispiel: »Ich kann mir ein besseres Auto leisten.« Das stimmt und kann Sie solange anspornen, bis Sie das Auto haben, doch sobald der Reiz des Neuen dahin ist, werden Sie unter Verzichtgefühlen leiden und früher oder später wieder in die Falle tappen.

Ein weiteres typisches Beispiel sind Verträge unter Arbeitskollegen oder Familienmitgliedern. Sie haben den Vorzug, die Versuchung während gewisser Tageszeiten auszuschalten. Im allgemeinen jedoch schlagen sie fehl, und zwar aus folgenden Gründen:

1. Der Anreiz ist nicht stichfest. Warum sollten Sie aufhören wollen zu rauchen, nur weil andere es tun? Das erzeugt nur zusätzlichen Druck, was das Opfergefühl verstärkt. Es wäre in Ordnung, wenn alle Raucher den aufrichtigen Wunsch hätten, zu einem bestimmten Zeitpunkt aufzuhören. Doch kein Raucher kann dazu gezwungen werden, das Rauchen aufzugeben, und obwohl alle Raucher insgeheim den Wunsch dazu haben, erzeugt ein solcher Vertrag nur zusätzlichen Druck, solange sie innerlich noch nicht hundertprozentig bereit sind, und verstärkt ihren Drang zu rauchen. Sie werden heimlich rauchen – und sich immer abhängiger fühlen.

2. »Geteiltes Leid«, oder gegenseitige Abhängigkeit. Versucht der Raucher es mit der »Methode Willenskraft«, macht er eine Leidenszeit durch, während er wartet, daß der Drang zu rauchen verschwindet. Gibt er nach, fühlt er sich als Versager. Bei der »Methode Willenskraft« ist schon vorprogrammiert, daß einer der Teilnehmer früher oder später schwach werden wird. Die anderen Teilnehmer haben jetzt die Ausrede, auf die sie gewartet haben. Es ist nicht ihre Schuld. Sie hätten durchgehalten. Der Versager ist das schwarze Schaf. In Wahrheit haben die meisten bereits heimlich geschummelt.

3. »Geteiltes Lob« ist die Kehrseite des »geteilten Leids«. Dort ist der Gesichtsverlust beim Scheitern nicht so groß, wenn er gemeinsam getragen wird. Wer es schafft, das Rauchen aufzugeben, empfindet ein herrliches Gefühl, etwas Großes geleistet zu haben. Wenn Sie es allein vollbringen, kann der Beifall Ihrer Freunde, Verwandten und Kollegen ein riesiger Ansporn sein, der Ihnen über die ersten paar Tage hinweghilft. Wenn alle anderen gleichzeitig dasselbe tun, muß das Lob geteilt werden, und der Ansporn ist folglich geringer.

Ein weiteres klassisches Beispiel für falsche Motivation ist die Bestechung (zum Beispiel das Angebot einer Geldsumme von den Eltern, wenn ihr Teenager auf das Rauchen verzichtet, oder die Wette: »Ich zahl dir dreihundert Mark, wenn ich schwach werde.«). So etwas habe ich einmal in einem Film gesehen. Ein Polizist, der versuchte, sich das Rauchen abzugewöhnen, schob einen Hunderter in seine Zigarettenschachtel. Er schloß einen Pakt mit sich selbst ab. Er dürfe wieder rauchen, müßte dann aber als erstes den Hunderter anzünden. Das hielt ihn ein paar Tage vom Rauchen ab, doch schließlich verbrannte er den Schein.

Machen Sie sich doch nichts vor. Wenn weder die neunzigtausend Mark, die der Durchschnittsraucher in seinem Leben in Rauch auflöst, ihn nicht vom Tabak fernhalten, noch das eins zu vier stehende Risiko, sich eine furchtbare Krankheit zuzuziehen, noch der lebenslängliche Mundgeruch, die psychische und körperliche Folter und Versklavung, noch die Verachtung, die ihm die Mehrheit der Bevölkerung, inklusive er selbst, entgegenbringt, dann werden ein paar Scheinmotive erst recht nichts ausrichten. Sie blähen nur das Opfer auf, das man zu bringen vermeint. Betrachten Sie beim Tauziehen doch lieber die andere Seite.

Was tut das Rauchen für mich? ABSOLUT NICHTS.

Warum muß ich rauchen? SIE MÜSSEN NICHT! SIE BESTRAFEN NUR SICH SELBST.

32 | Die einfache Methode des Aufhörens

Dieses Kapitel enthält Anweisungen für die einfache Art, mit dem Rauchen aufzuhören. Vorausgesetzt, Sie halten sich daran, werden Sie entdecken, daß es von relativ einfach bis genußvoll ist! Aufhören ist lächerlich einfach, Sie brauchen nur zwei Dinge zu tun:

1. Treffen Sie die Entscheidung, nie wieder zu rauchen.
2. Blasen Sie nicht Trübsal deswegen. Jubilieren Sie.

Wahrscheinlich fragen Sie jetzt: »Wozu soll dann der Rest dieses Buches gut sein? Warum haben Sie das nicht gleich gesagt?« Die Antwort lautet, daß Sie an einem gewissen Punkt Trübsal geblasen und infolgedessen früher oder später Ihre Entscheidung geändert hätten. Das haben Sie wahrscheinlich bereits mehrere Male getan. Wie gesagt, ist die ganze Raucherei eine raffinierte, fatale Falle. Das Hauptproblem beim Aufhören ist nicht die chemisch bedingte Abhängigkeit, sondern die Gehirnwäsche, die Sie durchgemacht haben, und es war nötig, erst mit den Irrtümern und Illusionen aufzuräumen. Verstehe deinen Feind. Erkenne seine Taktik, und du wirst ihn leicht besiegen.

Ich habe den größten Teil meines Lebens mit Versuchen verbracht, mir das Rauchen abzugewöhnen, und habe wochenlang unter starken Depressionen gelitten. Als ich schließlich aufhörte, rauchte ich mit einem Schlag statt hundert Zigaretten gar keine mehr und hatte keinen einzigen Tiefpunkt. Sogar in der Entzugsperiode genoß ich das Leben und habe seither nicht das leiseste Bedauern verspürt. Im Gegenteil, es war das Wunderbarste, was mir im Leben zugestoßen ist.

Ich konnte nicht begreifen, warum es so einfach gewesen war, und brauchte lange, um die Gründe herauszufinden. Es war so. Ich wußte ganz sicher, daß ich nie mehr rauchen würde. Bei den vorherigen Versuchen war ich zwar ebenfalls entschlossen, *versuchte* aber im Grunde nur, mit dem Rauchen aufzuhören, und hoffte, lange genug ohne Zigarette durchhalten zu können, bis der Drang zu rauchen schließlich verschwinden würde. Natürlich verschwand er nicht, weil ich darauf wartete, daß etwas passieren würde, und je mehr ich jammerte, desto dringender wurde der Wunsch nach einer Zigarette, und der Drang war stets spürbar. Mein endgültiger Versuch lief anders. Wie alle Raucher heute hatte ich ernsthaft über die Probleme nachgedacht. Bis dahin hatte ich mich bei jedem Scheitern mit dem Gedanken getröstet, nächstes Mal würde es einfacher sein. Ich war nie auf die Idee gekommen, daß ich mein Leben lang weiterrauchen würde. Dieser Gedanke erfüllte mich mit Abscheu, so daß ich sehr gründlich über dieses Thema nachzudenken begann.

Anstatt mir die Zigaretten automatisch anzuzünden, begann ich, meine Gefühle beim Rauchen zu analysieren. Dabei bestätigte sich, was ich bereits wußte. Ich genoß sie nicht, sie waren dreckig und ekelhaft.

Ich begann, Nichtraucher zu beobachten. Bis dahin hatte ich Nichtraucher immer für saft- und kraftlose, ungesellige Pedanten gehalten. Doch wenn ich sie recht betrachtete, erschienen sie mir, wenn überhaupt etwas, als stärkere, entspanntere Persönlichkeiten. Sie schienen in der Lage, mit Streß und Anspannung fertig zu werden und auch gesellige Anlässe mehr zu genießen als die Raucher. Sie hatten eindeutig mehr Schwung und Temperament als die Raucher.

Ich begann, mich mit Ex-Rauchern zu unterhalten. Bis

dahin hatte ich Ex-Raucher für Leute gehalten, die das Rauchen aus gesundheitlichen und finanziellen Gründen gezwungenermaßen aufgegeben hatten, sich aber insgeheim immer noch nach einer Zigarette sehnten. Ein paar sagten: »Ab und zu spürt man ein Verlangen, aber so selten, daß es sich gar nicht lohnt, sich damit auseinanderzusetzen.« Aber die meisten sagten: »Ob ich die Zigaretten vermisse? Sie machen wohl Witze. Ich habe mich in meinem Leben nie wohler gefühlt.«

Die Gespräche mit Ex-Rauchern ließen einen anderen Mythos platzen, den ich immer im Hinterkopf mit mir herumgetragen hatte. Ich hatte gedacht, ich hätte eine angeborene Schwäche, und plötzlich dämmerte mir, daß alle Raucher in ihrem Inneren denselben Alptraum durchleben. Ich sagte mir: »Millionen von Menschen hören jetzt mit dem Rauchen auf und leben völlig glücklich und zufrieden. Es bestand keine Notwendigkeit zu rauchen, bevor ich damit angefangen habe, und ich kann mich erinnern, wieviel Mühe es kostete, um mich an die ekligen Dinger zu gewöhnen. Warum sollte ich denn jetzt rauchen müssen?« Das Rauchen war für mich kein Genuß. Ich haßte das ganze schmutzige Ritual und wollte nicht den Rest meines Lebens als Sklave dieses üblen Krauts verbringen.

Dann sagte ich zu mir: **»Allen, ob du willst oder nicht, du hast jetzt deine letzte Zigarette geraucht.«**

Ich wußte sofort, daß ich nie wieder rauchen würde. Ich erwartete nicht, daß es so einfach wäre, sondern eigentlich das Gegenteil. Ich glaubte fest daran, daß mir monatelange Depressionen bevorstünden und ich mein ganzes Leben lang immer wieder den einen oder anderen Stich verspüren würde. Statt dessen war es von Anfang an das schiere Vergnügen.

Ich brauchte lange, um herauszufinden, warum es so einfach gewesen war und ich diesmal nicht an jenen entsetzlichen Entzugserscheinungen gelitten hatte. Der Grund: Es gibt sie überhaupt nicht. Sie werden nur durch Zweifel und Unsicherheit erzeugt. Die Wahrheit lautet schlicht und einfach: **Es ist leicht, mit dem Rauchen aufzuhören.** Nur die Unentschlossenheit und Jammerei machen es schwierig. Sogar während ihrer Nikotinabhängigkeit halten es Raucher bei bestimmten Anlässen relativ lang ohne Zigarette aus, ohne sich weiter darüber aufzuregen. Nur wenn man rauchen will, aber nicht darf, leidet man.

Der Schlüssel dafür, daß es einfach sein wird, ist daher, einen endgültigen, unverrückbaren Entschluß zu fassen, nicht zu *hoffen*, sondern zu *wissen*, daß es mit der Raucherei vorbei ist, die Entscheidung nie anzuzweifeln oder in Frage zu stellen. Sondern freuen Sie sich ständig darüber.

Wenn Sie von Anfang an Sicherheit in diesem Punkt haben, wird es einfach sein. Doch wie können Sie diese Sicherheit von Anfang an besitzen, wenn Sie nicht wissen, daß es einfach sein wird? Darum ist der Rest dieses Buches notwendig. Es gibt gewisse wesentliche Punkte, und es ist notwendig, sich diese Punkte einzuprägen, bevor Sie anfangen.

1. Machen Sie sich klar, daß Sie es schaffen können. Sie sind kein bißchen anders als andere, und der einzige Mensch, der Sie dazu bringen kann, die nächste Zigarette zu rauchen, sind Sie.
2. Es gibt absolut nichts, was Sie aufzugeben hätten. Im Gegenteil, Sie haben nur enorme Vorteile davon. Ich meine damit nicht nur, daß Sie gesünder und reicher sein werden.
3. Begreifen Sie ein für allemal, daß es so etwas wie »eine einzige Zigarette« nicht gibt. Das Rauchen ist eine Drogensucht und Kettenreaktion. Wenn Sie der gelegentlichen Zigarette nachtrauern, bestrafen Sie sich unnötig selbst.

4. Betrachten Sie die ganze Raucherei nicht als ein möglicherweise schädliches Verhalten, das Sie sich angewöhnt haben, sondern als Drogensucht. Blicken Sie der Tatsache ins Auge, daß Sie süchtig sind, ob es Ihnen gefällt oder nicht. Die Sucht wird nicht dadurch verschwinden, daß Sie den Kopf in den Sand stecken. Denken Sie daran: Wie alle degenerativen Krankheiten dauert sie nicht nur lebenslänglich, sondern verschlimmert sich ständig. Der einfachste Zeitpunkt der Heilung ist *jetzt*.

5. Unterscheiden Sie zwischen der Krankheit (das heißt, der chemisch bedingten Sucht) und der geistigen Verfassung des Rauchers und des Nichtrauchers. Könnten die Raucher die Uhr zu dem Zeitpunkt zurückdrehen, bevor sie süchtig wurden, würden alle noch heute diese Gelegenheit am Schopf ergreifen! Nehmen Sie gar nicht erst die Haltung ein, Sie würden das Rauchen »aufgeben«. Sobald Sie die endgültige Entscheidung getroffen haben, daß Sie Ihre letzte Zigarette geraucht haben, werden Sie bereits ein Nichtraucher sein. Ein Raucher ist dann einer der armen Kerle, die mit der Selbstzerstörung durch Zigaretten leben müssen. Das muß ein Nichtraucher nicht. Sobald Sie die endgültige Entscheidung getroffen haben, haben Sie Ihr Ziel bereits erreicht. Freuen Sie sich darüber. Sitzen Sie nicht jammernd herum und warten Sie darauf, daß die chemisch bedingte Abhängigkeit verschwindet. Gehen Sie sofort hinaus und genießen Sie das Leben. Das Leben ist wunderbar, sogar wenn Sie nikotinsüchtig sind, und wird täglich besser, wenn Sie es nicht sind.

Der Schlüssel dazu, daß es auch wirklich einfach sein wird, ist die Gewißheit, daß Sie es während der Entzugsperiode (höchstens drei Wochen) wirklich schaffen werden, keine einzige Zigarette zu rauchen. Wenn Sie die richtige innere Einstellung haben, werden Sie das lächerlich einfach finden.

Inzwischen werden Sie bereits beschlossen haben, mit dem Rauchen aufzuhören, falls Sie innerlich offen geworden sind, worum ich Sie anfangs gebeten habe. Sie sollten jetzt aufgeregt sein wie ein Hund, der an der Leine zerrt, und es kaum erwarten können, das Gift aus Ihrem Körper zu vertreiben.

Falls Sie sich eher bedrückt fühlen, dann aus einem der folgenden Gründe.

1. Bei Ihnen hat es noch nicht Klick gemacht. Lesen Sie die obigen fünf Punkte noch einmal durch und fragen Sie sich, ob Sie an deren Richtigkeit glauben. Wenn Sie an irgendeinem Punkt Zweifel haben, lesen Sie noch einmal die entsprechenden Abschnitte in diesem Buch.
2. Sie haben Angst zu versagen. Machen Sie sich keine Sorgen. Lesen Sie einfach weiter. Sie werden es schaffen. Die ganze Raucherei ist wie eine Bauernfängerei gigantischen Ausmaßes. Auch intelligente Leute fallen darauf herein, aber nur ein Dummkopf macht sich weiter etwas vor, wenn er die Sache einmal durchschaut hat.
3. Sie stimmen allen Punkten zu, fühlen sich aber trotzdem elend. Tun Sie es nicht! Machen Sie die Augen auf. Gerade geschieht etwas Wunderbares. Sie stehen kurz davor, aus Ihrem Gefängnis auszubrechen.

Es ist wesentlich, mit der richtigen inneren Einstellung zu beginnen: Ist es nicht wunderbar, daß ich ein Nichtraucher bin? Dann brauchen Sie nur noch diese innere Einstellung während der Entzugsperiode beizubehalten, und die nächsten Kapitel beschäftigen sich speziell damit, Sie dazu in die Lage zu versetzen. Nach der Entzugsperiode brauchen Sie diese Haltung nicht mehr bewußt einzunehmen. Sie werden automatisch so denken und sich nur noch über eines wundern: »Es ist so offensichtlich, warum konnte ich es vorher nicht sehen?« Beachten Sie jedoch zwei wichtige Warnungen.

1. Verschieben Sie Ihren Plan, Ihre letzte Zigarette auszudrücken, bis Sie dieses Buch zu Ende gelesen haben.
2. Ich habe mehrmals die Entzugsperiode erwähnt, die bis zu drei Wochen dauert. Das könnte mißverstanden werden. Erst haben Sie vielleicht das dumpfe Gefühl, Sie müßten drei Wochen lang leiden. Das ist nicht der Fall. Zweitens hüten Sie sich vor dem Irrtum: »Irgendwie muß ich drei Wochen lang sauber bleiben, und dann werde ich frei sein.« Nach den drei Wochen wird nichts Auffälliges passieren. Sie werden sich nicht plötzlich wie ein Nichtraucher fühlen. Nichtraucher fühlen sich auch nicht anders als Raucher. Wenn Sie jetzt Trübsal blasen, daß Sie drei Wochen lang nicht rauchen dürfen, werden Sie danach wahrscheinlich weiter Trübsal blasen. Ich will damit nur folgendes sagen. Wenn Sie gleich von Anfang an die Einstellung haben: »Ich werde nie mehr rauchen. Ist das nicht toll?«, dann wird nach drei Wochen jede Versuchung weg sein. Wenn Sie dagegen sagen: »Wenn ich nur drei Wochen ohne Zigarette überleben kann«, dann werden Sie nach Ablauf der drei Wochen alles um eine Zigarette geben.

33 | Die Entzugsperiode

Bis zu drei Wochen nach Ihrer letzten Zigarette werden Sie möglicherweise mit Entzugserscheinungen zu tun haben. Dabei lassen sich zwei voneinander getrennte Faktoren unterscheiden.

1. Die Folgen des Nikotinentzugs, dieses Gefühl der Leere und Unsicherheit, wie eine Art Hunger, was Raucher als drängendes Verlangen empfinden, oder als Bedürfnis, etwas mit ihren Händen zu tun.
2. Die psychische Wirkung bestimmter Auslöser, was Sie zum Beispiel beim Telefonieren feststellen werden.

Raucher haben deshalb solche Schwierigkeiten mit der »Methode Willenskraft«, weil sie den Unterschied zwischen diesen beiden Faktoren nicht begreifen und nicht differenzieren können; das ist auch der Grund, warum viele Raucher, die es doch geschafft haben, erneut in die Falle gehen.

Obwohl beim Nikotinentzug keine körperlichen Schmerzen auftreten, sollten Sie die Macht der Entzugserscheinungen nicht unterschätzen. Wenn wir einen Tag lang nichts essen, knurrt uns der Magen, aber körperliche Schmerzen erleiden wir nicht. Trotzdem ist der Hunger ein mächtiger Trieb, und wir werden sehr gereizt, wenn wir nichts zu essen bekommen. Ähnlich verhält es sich, wenn unser Körper nach Nikotin verlangt. Der Unterschied ist, daß unser Körper Nahrung braucht, Gift aber nicht, und mit der richtigen inneren Einstellung werden die Entzugssymptome leicht überwunden und verschwinden sehr rasch.

Auch wenn es Rauchern gelingt, mit der »Methode Willenskraft« einige Tage lang ohne Zigaretten durchzustehen, verschwindet das Verlangen nach Nikotin rasch. Was Schwierigkeiten macht, ist der zweite Faktor. Der Raucher hat sich angewöhnt, sein körperliches Verlangen in gewissen Momenten und bei bestimmten Gelegenheiten zu stillen, wobei Gedankenverbindungen entstanden sind (z. B.: »Ich kann keinen Drink ohne Zigaretten genießen«). Vielleicht macht ein zweites Beispiel diesen Mechanismus klarer.

Sie fahren ein paar Jahre lang ein Auto, bei dem der Blinker links vom Lenker angeordnet ist. Bei Ihrem nächsten Wagen ist er rechts. Sie wissen, daß er sich auf der rechten Seite befindet, doch ein paar Wochen lang schalten Sie immer den Scheibenwischer ein, wenn Sie blinken wollen.

Ähnlich verhält es sich, wenn Sie mit dem Rauchen aufhören. In den Anfangstagen der Entzugsperiode wird bei bestimmten Gelegenheiten der Auslöser gedrückt. Dann glauben Sie: »Ich will eine Zigarette.« Es ist entscheidend, daß Sie von Anfang an diesen Folgeerscheinungen Ihrer Gehirnwäsche rigoros Widerstand leisten; dann werden die automatischen Mechanismen rasch verschwinden. Bei der »Methode Willenskraft« merzt der Raucher diese Auslösemechanismen nicht aus, sondern verstärkt sie noch, weil er überzeugt ist, er bringe ein Opfer.

Ein häufiger Auslöser ist eine Mahlzeit, insbesondere ein Essen im Restaurant mit Freunden. Der Ex-Raucher fühlt sich bereits elend, weil er seiner Zigaretten beraubt ist. Seine Freunde zünden sich eine an, und das Gefühl, ihm würde etwas versagt, verstärkt sich noch. Jetzt kann er das gute Essen und das fröhliche Beisammensein gar nicht mehr genießen. Weil er das Essen und den geselligen Anlaß gedanklich mit einer Zigarette verbindet, leidet er dreifach, und seine Gehirnwäsche vertieft sich noch. Ist er resolut und hält es lange genug aus, wird er sich schließlich in sein Schicksal ergeben und weiter zur Tagesordnung übergehen. Doch die Gehirnwäsche wirkt teilweise weiter, und das Zweitschlimmste am Rauchen ist der Raucher, der aus gesundheitlichen oder finanziellen Gründen dem Rauchen entsagt hat und doch noch mehrere Jahre danach bei bestimmten Gelegenheiten nach einer Zigarette giert. Er grämt sich wegen einer Illusion, die nur in seinem Kopf existiert, und quält sich grundlos selbst.

Sogar bei meiner Methode ist das Reagieren auf Auslöser der häufigste Grund des Scheiterns. Der Ex-Raucher neigt dazu, die Zigarette als eine Art Placebo oder Zuckerpille zu betrachten. Er denkt: »Ich weiß, die Zigarette tut nichts für mich, aber wenn ich mir *einbilde*, sie tue etwas für mich, dann wird sie mir bei bestimmten Gelegenheiten eine Hilfe sein.«

Eine Zuckerpille kann, obwohl sie keine chemische Wirkung entfaltet, ein mächtiges psychologisches Hilfsmittel sein, das Symptome tatsächlich beseitigt und daher Vorteile bringt. Die Zigarette jedoch ist keine Zuckerpille. Sie erzeugt erst die Symptome, die sie anschließend beseitigt, und nach einiger Zeit beseitigt sie diese Symptome nicht einmal mehr vollständig. Die Pille selbst macht krank, einmal ganz davon abgesehen, daß sie das Killergift Nummer eins in der westlichen Gesellschaft ist.

Vielleicht wird die Wirkung am Beispiel von Nichtrauchern oder Ex-Rauchern, die schon seit Jahren nicht mehr rauchen, anschaulicher. Nehmen wir den Fall einer Frau, die ihren Mann verliert. Bei einem solchen Anlaß kommt es häufig vor, daß ein Raucher ihr mit den besten Absichten eine Zigarette anbietet: »Rauch eine. Das wird dich beruhigen.

Wird die Zigarette angenommen, beruhigt sie nicht, weil die Frau nicht nikotinsüchtig ist und keine Entzugssymptome zu lindern hat. Bestenfalls ist die Zigarette eine vorübergehende psychologische Stütze. Ist sie zu Ende geraucht, hat sich an der ursprünglichen Tragödie nichts geändert. Sie wird sogar noch dadurch verschlimmert, daß die Frau jetzt an Entzugserscheinungen leidet und vor der Wahl steht, sie entweder auszuhalten oder durch eine weitere Zigarette zu lindern und damit den Teufelskreis in Gang zu setzen. Die Zigarette hat nichts weiter geleistet, als eine momentane psychologische Unterstützung zu geben. Dasselbe hätte sich durch tröstende Worte oder das Angebot eines Drinks erreichen lassen. Schon viele Nichtraucher und Ex-Raucher sind nach solchen Anlässen nikotinsüchtig geworden.

Es ist entscheidend, sich der Gehirnwäsche gleich von Anfang an zu widersetzen. Prägen Sie sich ein für allemal ein: Sie brauchen die Zigarette nicht und quälen sich nur selbst, wenn Sie sie weiter für eine Art Hilfe oder Krücke halten. Es besteht absolut keine Notwendigkeit, sich wie ein Häuflein Elend zu fühlen. Zigaretten machen nicht den Reiz eines Essens im Restaurant oder einer geselligen Runde aus, sondern sind deren Ruin. Denken Sie auch daran, daß die Raucher im Restaurant nicht deshalb rauchen, weil die Zigaretten ihnen einen solchen Genuß verschaffen. Sie rauchen, weil sie müssen. Sie sind Drogenabhängige. Sie können das Essen oder das Leben ohne ihre Droge nicht genießen. Lösen Sie sich von der Vorstellung, das Rauchen sei an und für sich genußvoll. Viele Raucher denken: »Gäbe es doch nur unschädliche Zigaretten!« Es gibt solche Zigaretten. Jeder Raucher, der Kräuterzigaretten probiert, findet bald heraus, daß es sich nicht lohnt, sie zu rauchen. Machen Sie sich klar, daß der einzige Grund, warum Sie geraucht haben, darin bestand, sich einen Schuß Nikotin in den Körper zu jagen. Sobald Sie sich von dem Verlangen nach Nikotin befreit haben, werden Sie kein größeres Bedürfnis haben, sich eine Zigarette in den Mund zu stecken, als sie sich ins Ohr zu bohren.

Ob nun tatsächlich Entzugserscheinungen (das Gefühl der

Leere) oder ein Auslösemechanismus bei Ihnen den Drang nach einer Zigarette verursacht haben, akzeptieren Sie ihn einfach. Ein körperlicher Schmerz existiert nicht, und mit der richtigen inneren Einstellung wird kein Problem daraus. Machen Sie sich wegen des Entzugs keine Sorgen. Das Gefühl selbst ist nicht so schlimm. Das Problem ist nur die Assoziation mit einer heiß begehrten, aber versagten Zigarette.

Anstatt deswegen Trübsal zu blasen, sagen Sie sich nur: »Ich weiß, was das ist. Es ist nur die Wirkung des Nikotinentzugs. Raucher müssen das ihr ganzes Leben lang ertragen, das hält sie überhaupt bei der Stange. Nichtraucher leiden nicht darunter. Es ist nur eine der vielen üblen Seiten dieser Droge. Ist es nicht wunderbar, daß ich dieses Übel mitsamt den Wurzeln aus meinem Körper herausreiße?«

Mit anderen Worten wird sich Ihr Körper in den nächsten drei Wochen leicht lädiert fühlen, aber in diesen Wochen wird etwas Wunderbares passieren, das den Rest Ihres Lebens andauert. Sie werden sich von einer fürchterlichen Krankheit befreien. Dieser Bonus wird Ihr geringfügiges Leiden mehr als aufwiegen, und Sie werden die Entzugserscheinungen sogar genießen. Es wird ein Vergnügen daraus werden.

Verwandeln Sie die ganze Sache in ein aufregendes Spiel. Betrachten Sie die Nikotinbestie als eine Art Bandwurm in Ihrem Bauch. Sie müssen ihn drei Wochen lang aushungern, und er wird versuchen, Sie mit allen Tricks zum Rauchen zu bringen, damit er am Leben bleibt.

Manchmal wird er versuchen, Ihnen das Leben schwerzumachen. Manchmal werden Sie nicht auf der Hut sein. Jemand bietet Ihnen eine Zigarette an, und Sie vergessen vielleicht, daß Sie aufgehört haben zu rauchen. Wenn Sie sich daran erinnern, werden Sie ein leises Gefühl der Entbehrung empfinden. Auf solche Fallen müssen Sie von vornherein vorbereitet sein. Welche Versuchung auch auf Sie zukommt, denken Sie immer daran, daß nur die Bestie in Ihrem Körper dafür verantwortlich ist, und jedesmal, wenn Sie der Versuchung widerstehen, versetzen Sie ihr einen weiteren tödlichen Schlag.

Versuchen Sie auf keinen Fall, das Rauchen zu vergessen. Das ist eines der Dinge, die Rauchern, die nach der »Methode Willenskraft« vorgehen, stundenlange Depressionen bereiten. Sie schleppen sich in der Hoffnung durch den Tag, daß sie das Rauchen irgendwann einfach vergessen werden.

Das ist wie bei Schlafstörungen. Je mehr Sie darüber nachgrübeln, desto schlechter können Sie einschlafen.

Vergessen werden Sie jedenfalls nicht können. Die ersten paar Tage wird unvermeidlich die kleine Bestie Sie daran erinnern; und solange es noch Raucher und Zigarettenreklame an jeder Ecke gibt, werden Sie auch weiterhin ständig mit dem Rauchen konfrontiert. Das Schöne ist, daß Sie es auch gar nicht nötig haben, das Rauchen zu vergessen. Es passiert ja nichts Schlimmes. Etwas Wunderbares findet statt. Auch wenn Sie tausendmal am Tag daran denken, kosten Sie jeden Moment davon aus. **Erinnern Sie sich immer wieder daran, wie wunderbar es ist, wieder frei zu sein. Denken Sie an die reine Freude, sich nicht länger selbst die Luft zum Atmen abdrehen zu müssen.**

Dann werden sich die Entzugserscheinungen in Augenblicke des Vergnügens verwandeln, und Sie werden überrascht sein, wie schnell das Rauchen aus Ihrem Denken verschwindet.

Was Sie auch tun, **zweifeln Sie nie an Ihrer Entscheidung.** Sobald Sie anfangen zu zweifeln, werden Sie auch anfangen zu jammern, und alles wird schlimmer. Nutzen Sie statt dessen den Moment, um neue Energie zu schöpfen. Ist eine Depression an Ihren Zweifeln schuld, erinnern Sie sich daran, daß Sie diesen Zustand nur den Zigaretten zu verdanken haben. Bietet Ihnen ein Freund eine Zigarette an, sagen Sie stolz: »Glücklicherweise brauche ich die nicht mehr.« Das wird ihn zwar verletzen, aber wenn er sieht, daß es Ihnen nichts ausmacht, ist er schon halb auf Ihrer Seite. Denken Sie daran, daß Sie sehr gewichtige Gründe für Ihren Entschluß hatten, mit dem Rauchen aufzuhören. Erinnern Sie sich an die Tausende von Mark, die eine Zigarette Sie kosten wird, und fragen Sie sich, ob Sie wirklich eine dieser gefürchteten Krankheiten riskieren wollen. Machen Sie sich vor allem bewußt, daß das Gefühl bald vorübergehen wird und jeder Moment Sie Ihrem Ziel näherbringt.

Manche Raucher fürchten sich davor, den Rest ihres Lebens damit verbringen zu müssen, die »automatischen Auslöser« umzupolen. Mit anderen Worten glauben sie, sie müßten sich lebenslänglich mit Hilfe psychologischer Tricks einreden, daß sie im Grunde keine Zigaretten brauchen. Dem ist nicht so. Erinnern Sie sich, daß der Optimist die Flasche als halb voll und der Pessimist sie als halb leer sieht. Im Fall des Rauchens ist die Flasche leer, der Raucher glaubt aber, sie sei voll. Das geht aufs Konto der Gehirnwäsche, die jeder Raucher durchgemacht hat. Sobald Sie sich klarmachen, daß für Sie keine Notwendigkeit zu rauchen besteht, brauchen Sie sich das nach kurzer Zeit nicht einmal mehr ständig vorzusagen, weil... wirklich keine Notwendigkeit zu rauchen besteht. Es ist das letzte, was Sie nötig haben; sorgen Sie dafür, daß es nicht das letzte ist, was Sie tun.

34 | Nur einmal ziehen

Das wird vielen Rauchern zum Verhängnis, die versuchen, nach der »Methode Willenskraft« aufzuhören. Drei bis vier Tage schaffen sie es, dann rauchen sie gelegentlich eine oder ziehen ein- bis zweimal, um über die Hürden hinwegzukommen. Sie merken nicht, was für eine katastrophale Auswirkung das auf ihre Moral hat. Den meisten Rauchern schmeckt dieser erste Zug nicht, und das gibt ihnen Auftrieb. Sie glauben: »Gut. Das war kein Genuß. Das Verlangen nach Zigaretten läßt schon nach.« Doch genau das Gegenteil ist der Fall. Machen Sie sich klar, daß **Zigaretten nie ein Genuß** waren. Genuß war nicht der Grund, warum Sie geraucht haben. Wenn Raucher wegen des Genusses rauchten, hätten sie nie mehr als eine einzige Zigarette geraucht.

Der einzige Grund, warum Sie geraucht haben, war die kleine Bestie, die nach Futter schrie. Denken Sie doch nur: Sie haben sie gerade vier Tage lang hungern lassen. Wie kostbar diese eine Zigarette oder auch nur der Zug für sie gewesen sein muß! Bewußt merken Sie das nicht, aber der Nikotinschuß wird vom Unterbewußten registriert und Ihre ganze gedankliche Vorbereitung untergraben. Im Hinterkopf wird immer eine leise Stimme flüstern: »Gegen alle Logik sind Zigaretten etwas Tolles. Ich will noch eine.«

Wenn Sie nur einmal ziehen, hat das zwei verheerende Wirkungen:

1. Sie erhalten damit die kleine Bestie in Ihrem Körper am Leben.
2. Schlimmer noch, die große Bestie in Ihrem Kopf lebt weiter. Der erste Zug erleichtert den nächsten.

Denken Sie daran: Eine einzige Zigarette ist Grund genug,
warum Raucher überhaupt zu Rauchern werden.

35 | Wird es für mich schwieriger sein?

Es gibt unendlich viele Faktoren, deren Zusammentreffen
entscheidet, wie leicht einem Raucher das Aufgeben seiner
Sucht fallen wird. Jeder von uns hat einen anderen Charakter,
eine andere Art von Arbeit und persönlichen Lebensumständen, wählt einen anderen Zeitpunkt usw.

In bestimmten Berufen ist es vielleicht schwieriger als in
anderen, doch vorausgesetzt, die Spuren der Gehirnwäsche
sind gelöscht, muß das nicht so sein. Ein paar Beispiele werden das Problem klären helfen.

Angehörige medizinischer Berufe stehen vor besonderen
Schwierigkeiten. Wir meinen, Ärzten solle es leichterfallen,
weil sie über die gesundheitlichen Folgen besser Bescheid
wissen und sie täglich zu Gesicht bekommen. Damit werden
die Gründe, das Rauchen aufzugeben, zwar noch zwingender, aber die Sache wird dadurch nicht einfacher. Aus folgenden Gründen:

1. Das ständige Bewußtsein der gesundheitlichen Risiken
   erzeugt Angst, einen der Auslöser für unser Bedürfnis,
   unsere Entzugserscheinungen zu lindern.
2. Ihr Beruf setzt Ärzte extremem Streß aus, und meist
   dürfen sie den zusätzlichen Entzugsstreß während der
   Arbeit nicht beseitigen.
3. Dazu kommt noch der Streß, der durch Schuldgefühle
   erzeugt wird. Ein Arzt hat das Gefühl, er sollte der

restlichen Bevölkerung mit gutem Beispiel vorangehen. Das setzt ihn weiter unter Druck und verstärkt sein Gefühl, er müsse Verzicht leisten.

In den schwer verdienten Pausen, in denen der normale Streß vorübergehend wegfällt und der Arzt endlich seine Entzugsqualen lindern kann, wird die Zigarette zu etwas sehr Kostbarem. Gezwungenermaßen ist er eine Art Gelegenheitsraucher, wie alle Raucher, die während längerer Zeiträume auf Zigaretten verzichten müssen. Bei der »Methode Willenskraft« fühlt sich der Raucher schrecklich, weil er auf etwas verzichten muß. Er genießt weder die Arbeitspause noch die damit verbundene Tasse Tee oder Kaffee. Sein Verlustgefühl verstärkt sich extrem, und wegen der bestehenden Assoziationen wird die Zigarette zum Aufhänger für die ganze Situation. Gelingt es Ihnen jedoch zuerst, sich von der Gehirnwäsche freizumachen und aufzuhören, der Zigarette nachzutrauern, werden Sie Ihren Kaffee selbst dann noch genießen, während Ihr Körper noch nach Nikotin schreit.

Eine weitere schwierige Situation ist Langeweile, vor allem, wenn sie mit Streß Hand in Hand geht. Typische Beispiele dafür sind Berufsfahrer oder Hausfrauen mit Kleinkindern. Die Arbeit ist stressig, doch oft eintönig. Versucht eine Hausfrau mit der »Methode Willenskraft« das Rauchen aufzugeben, hat sie viel Zeit, um ihrem »Verlust« nachzujammern, was das Gefühl der Niedergeschlagenheit verstärkt.

Auch diese Situation läßt sich mit der richtigen inneren Einstellung leicht bewältigen. Machen Sie sich keine Sorgen, ständig daran denken zu müssen, daß Sie mit dem Rauchen aufgehört haben. Freuen Sie sich in diesen Momenten über die Tatsache, daß Sie sich von der Höllenbestie befreien. Ist Ihre Haltung positiv, können die Entzugserscheinungen zum Vergnügen werden.

Jeder Raucher, egal welchen Alters, Geschlechts, Intelligenzgrads oder Berufs, kann es als einfach und vergnüglich erleben, mit dem Rauchen aufzuhören, vorausgesetzt, **Sie halten sich an sämtliche Anweisungen, die ich Ihnen gebe.**

36 | Die Hauptgründe des Scheiterns

Versuche, das Rauchen aufzugeben, scheitern meist aus zwei Gründen. Der erste ist der Einfluß, den andere Raucher auf einen ausüben. In einem schwachen Moment oder bei einem geselligen Anlaß zündet sich irgend jemand eine Zigarette an. Ich habe dieses Thema bereits ausführlich besprochen. Nutzen Sie diesen Moment, um sich ins Gedächtnis zu rufen, daß es etwas wie eine einzige Zigarette nicht gibt. Freuen Sie sich darüber, daß Sie Ihre Fesseln gesprengt haben. Machen Sie sich bewußt, daß der Raucher Sie beneidet, und bedauern Sie ihn. Glauben Sie mir, er hat Ihr Mitleid nötig.

Der zweite Hauptgrund für ein Scheitern des Versuchs ist, wenn einem ein schlechter Tag dazwischenkommt. Machen Sie sich bewußt, daß es gute und schlechte Tage gibt, für Raucher wie für Nichtraucher. Im Leben ist alles relativ, und man kann keine Höhenflüge erleben, ohne Tiefpunkte durchzustehen. Bei der »Methode Willenskraft« tritt nun das Problem auf, daß sich der Raucher am ersten schlechten Tag nach einer Zigarette zu verzehren beginnt, und dann wird ein schlechter Tag natürlich noch schlechter. Der Nichtraucher ist körperlich wie geistig besser gerüstet, um mit Streß und Spannungen fertig zu werden. Einem schlechten Tag während der Entzugsperiode bieten Sie einfach die Stirn. Denken Sie daran, daß Sie auch schlechte Tage erlebt haben, als Sie noch rauchten (sonst hätten Sie wohl nicht beschlossen, damit aufzuhören). Statt Trübsal zu blasen, sagen Sie sich etwas wie: »Na schön, heute läuft's nicht so gut, aber Rauchen hilft auch nicht dagegen. Morgen ist ein besserer Tag, und wenigstens habe ich im Moment ein tolles Plus auf meiner Seite. Ich habe diese fürchterliche Angewohnheit zu rauchen abgeschüttelt.«

Als Raucher müssen Sie die Augen vor den Schattenseiten des Rauchens verschließen. Raucher haben nie einen Raucherhusten, sondern sind nur ständig erkältet. Wenn Ihr Auto mitten in der Pampa zusammenbricht, zünden Sie sich eine Zigarette an, aber sind Sie deswegen glücklich und froh? Natürlich nicht. Sobald jemand aufhört zu rauchen, neigt er dazu, alles, was im Leben schiefgeht, dem Zigarettenverbot in die Schuhe zu schieben. Bricht also Ihr Auto zusammen, denken Sie: »Früher hätte ich mir in solchen Momenten eine Zigarette angesteckt.« Das stimmt, Sie vergessen dabei nur, daß eine Zigarette das Problem nicht gelöst hätte, und Sie bestrafen sich nur selbst, wenn Sie einer illusorischen Lebenshilfe nachtrauern. Sie bringen sich in eine unmögliche Situation. Sie fühlen sich elend, weil Sie nicht rauchen dürfen, und falls Sie doch rauchten, würden Sie sich noch mieser fühlen. Sie wissen, daß Sie die richtige Entscheidung getroffen haben; quälen Sie sich also nicht damit, diese Entscheidung anzuzweifeln.

Vergessen Sie nicht: Positives Denken ist das A und O – in jeder Lebenslage.

37 | Ersatzbefriedigungen

Als Ersatz für Zigaretten greifen viele zu Kaugummi, Süßigkeiten, Pfefferminzbonbons, Kräuterzigaretten, Pillen. LASSEN SIE DIE FINGER DAVON. Ersatzbefriedigungen machen es Ihnen nur schwerer, nicht leichter. Wenn Sie den Drang nach einer Zigarette verspüren und ihn mit etwas anderem stillen wollen, verlängert und verstärkt sich der Drang nur. Denn Sie sagen sich in Wirklichkeit: »Ich muß rauchen oder die Leere irgendwie anders füllen.« Das ist, wie wenn man einem Erpresser oder einem trotzenden Kind nachgibt. Der Drang wird Sie nur immer wieder überfallen, die Qual verlängert sich. Und der Ersatz kann den Drang nicht befriedigen. Sie haben ein Verlangen nach Nikotin, nicht nach Essen. Sie erreichen damit nur, daß Sie ständig ans Rauchen denken müssen. Prägen Sie sich folgendes ein:

1. Es gibt keinen Ersatz für Nikotin.
2. Sie brauchen kein Nikotin. Es ist kein Nahrungsmittel, sondern ein Gift. Wenn sich die Entzugssymptome dringlich melden, erinnern Sie sich daran, daß nur Raucher daran leiden, Nichtraucher dagegen nicht. Betrachten Sie sie als ein weiteres Übel dieser Droge. Betrachten Sie sie als Todesschreie der Bestie.
3. Denken Sie daran: Zigaretten erzeugen das Leeregefühl, sie beseitigen es nicht. Je rascher Sie Ihrem Gehirn beibringen, daß für Sie keine Notwendigkeit besteht, zu rauchen oder statt dessen sonst etwas zu tun, desto schneller werden Sie frei sein.

Machen Sie vor allem einen großen Bogen um nikotinhaltigen Kaugummi oder andere nikotinhaltige Ersatzprodukte. Theoretisch sollen sie die Entzugsperiode, während der Sie sich das Rauchen abgewöhnen, erleichtern, weil sie den Nikotinspiegel im Körper aufrechthalten und Ihnen damit schlimme Entzugserscheinungen ersparen. In der Praxis erschweren sie jedoch das Aufhören, und zwar genau aus diesem Grund. Beim Rauchen besteht die Gewohnheit darin, die Entzugssymptome zu beseitigen. Das Nikotin an sich hat ja keinerlei positive Wirkung. Sie rauchen nur, um die Entzugserscheinungen zu lindern, und mit den Symptomen entfällt auch die Gewohnheit. Sie sind ohnehin so geringfügig, daß es nicht notwendig ist, etwas dagegen zu unternehmen. Das Hauptproblem beim Rauchen ist, wie bereits erklärt, nicht die chemisch bedingte Abhängigkeit, sondern die Gehirnwäsche, die Ihr Denken verwirrt hat. Nikotinhaltige Kaugummis verlängern lediglich die chemisch bedingte Abhängigkeit, die wiederum die psychische Abhängigkeit verlängert.

Viele Ex-Raucher sind jetzt süchtig auf Nikotinkaugummis. Es gibt auch viele Kaugummisüchtige, die immer noch rauchen.

Machen Sie sich nichts vor, wenn Sie meinen, der Kaugummi schmecke scheußlich. Erinnern Sie sich nur daran, wie scheußlich Ihre erste Zigarette schmeckte.

Alle sonstigen Ersatzbefriedigungen haben genau die gleiche Wirkung wie Nikotinkaugummi. Ich rede jetzt von Ansichten wie: »Wenn ich schon keine Zigarette rauchen darf, halte ich mich eben an normalen Kaugummi, oder Süßigkeiten, oder Pfefferminzbonbons, um die Leere zu füllen.« Obwohl sich das Leeregefühl, das man beim Verlangen nach einer Zigarette empfindet, nicht vom Hunger nach Nahrung unterscheidet, läßt sich das eine nicht durch das andere befriedigen. Wenn Sie sich mit Kaugummi oder Pfefferminzbonbons vollstopfen, ist das sogar die sicherste Methode, um einen unwiderstehlichen Drang nach Zigaretten auszulösen. Doch das Schlimmste an den Ersatzbefriedigungen ist, daß sie das wirkliche Problem hinausdehnen, die krausen Ideen, die die Gehirnwäsche hervorgebracht hat. Brauchen Sie einen Ersatz, wenn die Grippe vorbei ist? Natürlich nicht. Wenn Sie sagen: »Ich brauche einen Ersatz für Zigaretten«, dann sagen Sie in Wirklichkeit: »Ich bringe ein Opfer.« Den Depressionen, die die »Methode Willenskraft« so oft begleiten, liegt die Überzeugung des Rauchers zugrunde, er bringe ein Opfer. Er ersetzt dann nur ein Problem durch ein anderes. Es macht keinen Spaß, sich mit Süßigkeiten vollzustopfen. Sie werden nur dick und fühlen sich elend, und im Nu hängen Sie wieder am Glimmstengel.

Merken Sie sich: Sie brauchen keinen Ersatz. Die Entzugserscheinungen sind ein Verlangen nach Gift und werden bald verschwunden sein. Dieses Wissen sollte Ihnen in den nächsten paar Tagen Hilfestellung genug sein. *Genießen* Sie es, Ihren Körper von Gift und Ihren Geist von Sklaverei und Abhängigkeit zu befreien. Falls Sie jetzt mehr Appetit haben, bei den Mahlzeiten kräftiger zulangen und in den nächsten paar Tagen ein paar Pfund zunehmen, sollten Sie sich darüber keine Sorgen machen. Wenn Sie den »Moment der Erleuchtung« erleben, den ich später beschreibe, werden Sie Vertrauen haben und sehen, daß Sie jedes Problem, das sich mit positivem Denken lösen läßt, in den Griff bekommen können, einschließlich Ihrer Eßgewohnheiten. Eins dürfen Sie nicht tun: zwischen den Mahlzeiten anfangen zu knabbern. Tun Sie es doch, werden Sie dick und unglücklich und wissen nie, wann Sie das Rauchen endgültig überwunden haben. Sie werden das Problem nur verlagern, anstatt sich davon zu befreien.

38 | Sollte ich Versuchungen meiden?

Bisher war ich kategorisch in meinen Empfehlungen und möchte Sie bitten, sie eher als Anweisungen denn als Vorschläge zu verstehen. Ich bin so streng, erstens, weil meine Empfehlungen handfeste, praktische Gründe haben, und zweitens, weil Tausende von Fallstudien diese Gründe bestätigt haben.

Was die Frage angeht, ob man in der Entzugsperiode Versuchungen lieber meiden sollte oder nicht, bedaure ich, darauf nicht so kategorisch antworten zu können. Das muß jeder Raucher für sich selbst entscheiden. Ich kann Ihnen dazu jedoch ein paar hoffentlich nützliche Vorschläge machen.

Ich möchte wiederholen, daß Angst uns dazu bringt, unser ganzes Leben lang weiterzurauchen, und bei dieser Angst lassen sich zwei Stadien unterscheiden.

1. Wie kann ich ohne Zigarette überleben?
   Diese Angst ist das panische Gefühl, das den Raucher überfällt, wenn er spät abends unterwegs ist und ihm die Zigaretten ausgehen. Die Angst wird nicht durch Entzugserscheinungen hervorgerufen, sondern ist die Angst der psychischen Abhängigkeit – ohne Zigaretten kann man nicht leben. Diese Angst erreicht ihren Höhepunkt, wenn Sie Ihre letzte Zigarette rauchen; zu diesem Zeitpunkt haben Sie die geringsten Entzugserscheinungen. Es ist die Angst vor dem Unbekannten, die Art von Angst, die jeder hat, der den Kopfsprung erlernt. Das Sprungbrett ist nur dreißig Zentimeter hoch, erscheint aber zwei Meter hoch. Das Wasser ist über zwei Meter tief, scheint aber nur dreißig Zentimeter seicht zu sein.

Man braucht Mut, um sich ins Wasser zu stürzen. Sie sind überzeugt, daß Sie sich den Kopf anschlagen werden. Der Absprung ist das schwierigste. Wenn Sie dazu den Mut aufbringen, ist der Rest einfach.

Das erklärt, warum ansonsten willensstarke Raucher nie versucht haben, mit dem Rauchen aufzuhören, oder wenn sie es tun, nur ein paar Stunden ohne Zigaretten überleben können. Es gibt sogar Raucher, die etwa ein Päckchen am Tag rauchen und dann, wenn sie beschließen, mit dem Rauchen aufzuhören, ihre nächste Zigarette sogar rascher anzünden, als wenn sie es nicht beschlossen hätten. Die Entscheidung ruft Panik hervor, die Streß bedeutet. Dies gehört zu den Gelegenheiten, wenn das Gehirn signalisiert: »Rauch eine«, aber jetzt dürfen wir nicht rauchen. Sie müssen auf etwas verzichten – noch mehr Streß. Wieder wird das Signal ausgelöst – die Sicherung brennt durch, und Sie zünden sich eine an. Machen Sie sich keine Sorgen. Diese Panik hat nur psychische Ursachen. Es ist die Angst vor Abhängigkeit. In Wahrheit sind Sie nicht einmal dann abhängig, wenn Sie immer noch nikotinsüchtig sind. Keine Panik! Vertrauen Sie mir einfach und springen Sie.

2. Das zweite Stadium der Angst bezieht sich auf längere Zeiträume. Dazu gehört die Angst, daß gewisse Situationen in der Zukunft ohne Zigarette keinen Spaß mehr machen, oder daß der Ex-Raucher nicht in der Lage sein wird, ohne Zigarette mit schlimmen Erlebnissen fertig zu werden. Machen Sie sich keine Sorgen. Wenn Sie den Absprung schaffen, werden Sie entdecken, daß das Gegenteil der Fall ist.

Beim Meiden von Versuchungen geht es um zweierlei Probleme.

1. »Ich habe Zigaretten zu Hause, auch wenn ich sie nicht mehr rauchen werde. Ich fühle mich sicherer, wenn ich weiß, daß sie da sind.«

Ich habe herausgefunden, daß die Versagerquote bei Leuten, die Zigaretten zu Hause haben, höher liegt als bei Leuten, die sie wegwerfen. Ich glaube, das liegt hauptsächlich daran, daß es so einfach ist, sich eine bereits vorhandene Zigarette anzuzünden, wenn es während der Entzugsperiode einmal ganz schlimm kommen sollte. Müssen Sie jedoch so tief sinken und aus dem Haus gehen, um ein Päckchen zu kaufen, sind die Chancen, daß Sie der Versuchung widerstehen, größer, und der Drang wird sich ohnehin wahrscheinlich verflüchtigt haben, bis Sie beim Laden sind. Ich glaube aber, daß der Hauptgrund des Scheiterns darin liegt, daß sich der Raucher schon von Anfang an nicht hundertprozentig festgelegt hat, mit dem Rauchen aufzuhören. Erinnern Sie sich an die beiden wesentlichen Schlüssel zum Erfolg:

innere Gewißheit,

die Freude darüber, wie wunderbar es ist, nicht mehr rauchen zu müssen.

Wozu um alles in der Welt brauchen Sie denn Zigaretten im Haus? Wenn Sie immer noch das Bedürfnis haben, Zigaretten mit sich herumzutragen, möchte ich Ihnen empfehlen, das Buch noch einmal von vorn zu lesen. Das heißt nämlich, daß es bei Ihnen noch nicht gefunkt hat.

2. »Soll ich Streßsituationen und gesellige Anlässe in der Entzugsperiode vermeiden?«

Ich rate Ihnen, ja, versuchen Sie, Streßsituationen zu vermeiden. Es hat keinen Sinn, sich unnötigem Druck auszusetzen.

Was gesellige Anlässe betrifft, rate ich zum Gegenteil. Nein, gehen Sie aus und genießen Sie das Leben, ab sofort. Sie brauchen keine Zigaretten, sogar wenn Sie noch nikotinsüchtig sind. Gehen Sie auf eine Party und jubeln Sie darüber, daß Sie nicht mehr zu rauchen brauchen. Sie werden schnell den Beweis dafür haben, daß das Leben ohne Zigaretten so viel schöner ist – und denken Sie nur daran, wie schön es sein wird, wenn die kleine Bestie mitsamt dem ganzen Gift aus Ihrem Körper vertrieben ist.

39 | Der Augenblick der Erleuchtung

Der Augenblick der Erleuchtung kommt meist etwa drei Wochen, nachdem der Raucher aufgehört hat zu rauchen. Der Himmel scheint sich aufzuhellen, und in diesem Moment sind endgültig alle Spuren der Gehirnwäsche ausradiert: Sie sagen sich nicht mehr vor, daß für Sie keine Notwendigkeit zu rauchen besteht, sondern erkennen plötzlich, daß das letzte Band gerissen ist und Sie den Rest Ihres Lebens genießen können, ohne je wieder das Bedürfnis nach einer Zigarette zu verspüren. Von diesem Moment an erscheinen einem dann auch die anderen Raucher als bedauernswerte Wesen. Raucher, die es mit der »Methode Willenskraft« versuchen, erleben diesen Moment in der Regel nicht, weil sie zwar froh sind, nicht mehr zu rauchen, aber nie das Gefühl ablegen, sie brächten ein Opfer.

Je mehr Sie geraucht haben, desto wunderbarer ist das Erlebnis dieses Augenblicks, und es hält ein Leben lang an.

Ich finde, ich hatte in meinem Leben viel Glück und habe wunderbare Momente erlebt, doch der wunderbarste war dieser Augenblick der Erleuchtung. Bei allen anderen Glanzpunkten meines Lebens erinnere ich mich zwar daran, glücklich gewesen zu sein, kann aber dieses Gefühl nicht mehr in mir lebendig werden lassen. Doch die Freude, nicht mehr rauchen zu müssen, verblaßt nie. Wenn ich heute mal ein Tief habe und Auftrieb brauche, denke ich nur daran, wie herrlich es ist, nicht mehr von diesem schrecklichen Kraut abhängig zu sein. Die Hälfte aller Leute, die sich das Rauchen abgewöhnt haben, erzählt mir dasselbe, daß es für sie das wunderbarste Ereignis in ihrem Leben war. Was für ein lustvolles Erlebnis Ihnen bevorsteht!

Nach den fünf Jahren Erfahrungen mit anderen Rauchern, die ich auf das Erscheinen dieses Buches hin und durch meine Beratungen gesammelt habe, kann ich sagen, daß der Augenblick der Erleuchtung in den meisten Fällen nicht, wie oben geschildert, nach drei Wochen eintritt, sondern schon nach ein paar Tagen.

Ich selbst habe ihn bereits erlebt, bevor ich meine letzte Zigarette ausdrückte, und während der Anfänge meiner Beratertätigkeit, als ich noch Einzelgespräche führte, erklärte der Raucher oft schon vor dem Ende einer Sitzung: »Sie brauchen kein Wort mehr zu sagen, Allen. Mir steht alles so klar vor Augen, ich weiß, daß ich nie wieder rauchen werde.« In den Gruppensitzungen weiß ich inzwischen schon, wann es passiert, ohne daß die einzelnen etwas zu sagen brauchen. Den Zuschriften, die ich bekomme, entnehme ich auch, daß es häufig beim Lesen dieses Buchs geschieht.

Im Idealfall sollte es Ihnen sofort wie Schuppen von den Augen fallen, wenn Sie sich nach meinen sämtlichen Anweisungen richten und die psychischen Vorgänge begreifen.

Heute sage ich den Rauchern in meinen Gruppen, daß die spürbaren körperlichen Entzugserscheinungen nach etwa fünf Tagen verschwinden und es etwa drei Wochen dauert, bis der Ex-Raucher völlige Freiheit genießt. In gewisser Hinsicht widerstrebt es mir, solche Zeitangaben zu machen. Das kann aus zwei Gründen problematisch sein. Erstens setzt sich bei manchen Leuten die Vorstellung fest, sie müßten zwischen fünf Tagen und drei Wochen leiden. Zweitens neigt der Ex-Raucher zur Ansicht: »Wenn ich es nur fünf Tage oder drei Wochen lang ohne Zigaretten aushalte, kann ich erwarten, daß am Ende dieses Zeitraums etwas echt Tolles geschieht.« Vielleicht jedoch erlebt er fünf angenehme Tage oder drei angenehme Wochen und anschließend einen jener katastrophalen Tage, die sowohl über Nichtraucher wie über Raucher hereinbrechen und die nichts mit dem Rauchen zu tun haben, sondern mit anderen Faktoren in unserem Leben. Da steht nun unser Ex-Raucher und wartet auf den Augenblick der Erleuchtung, und was erlebt er stattdessen? Depressionen. Das könnte sein Vertrauen untergraben.

Doch wenn ich keine zeitlichen Anhaltspunkte gebe, verbringt der Ex-Raucher möglicherweise den Rest seines Lebens damit, auf etwas zu warten, was nie geschieht. Vermutlich widerfährt genau das den meisten Rauchern, die sich an die »Methode Willenskraft« halten. Früher war ich versucht zu sagen, daß die Erleuchtung sofort stattfinden sollte. War es dann nicht sofort der Fall, verlor der Ex-Raucher das Vertrauen und dachte, daß es wohl nie passieren würde.

Oft werde ich gefragt, was es mit den Zeiträumen von fünf Tagen oder drei Wochen auf sich habe. Sage ich das nur so aus dem hohlen Bauch heraus? Nein. Es handelt sich sicher nicht um unumstößliche Zeitwerte, sie beruhen aber auf den unzähligen Erfahrungen, die ich mit den Jahren gesammelt habe. Etwa fünf Tage nach der letzten Zigarette hören die Gedanken des Ex-Rauchers auf, hauptsächlich ums Rauchen zu kreisen. Etwa um diesen Zeitpunkt herum erleben die meisten Ex-Raucher den Augenblick der Erleuchtung. Meist läuft es so ab, daß Sie in eine der Streßsituationen geraten, die Sie früher ohne Zigarette nicht bewältigen konnten, oder in Gesellschaft sind, was Sie ohne Zigarette nie genossen haben. Plötzlich merken Sie, daß Sie nicht nur spielend mit der Situation fertig werden, sondern daß Ihnen der Gedanke an eine Zigarette nie in den Sinn gekommen ist. Von diesem Moment an wird die Sache in der Regel zum Kinderspiel. Denn dann wissen Sie, daß Sie frei sein können.

Bei meinen früheren Versuchen nach der »Methode Willenskraft« und durch die Berichte anderer Raucher ist mir aufgefallen, daß nach etwa drei Wochen auch die ernsthaftesten Versuche, das Rauchen aufzugeben, vom Scheitern bedroht sind.

Meiner Meinung nach passiert dabei folgendes: Das Bedürfnis zu rauchen ist verschwunden. Der Ex-Raucher will sich das beweisen und zündet sich eine Zigarette an. Sie schmeckt scheußlich. Er hat sich bewiesen, daß er frei von der Sucht ist. Aber er hat seinem Körper eine neue Ladung Nikotin verpaßt, genau das, wonach der Körper drei Wochen lang dürstete. Sobald die Zigarette zu Ende geraucht ist, beginnt das Nikotin den Körper zu verlassen. Jetzt bohrt eine leise Stimme: »Du bist noch nicht drüber weg. Du willst noch eine Zigarette haben.«

Er zündet sich nicht sofort die nächste an, weil er nicht wieder süchtig werden will. Er läßt einen Sicherheitszeitraum verstreichen. Bei der nächsten Versuchung kann er sich sagen: »Ich bin nicht wieder süchtig geworden, deshalb schadet es nichts, wenn ich wieder mal rauche.« Doch er ist bereits auf der schiefen Bahn.

Der Schlüssel zu diesem Problem besteht darin, nicht auf den Augenblick der Erleuchtung zu warten, sondern sich klarzumachen, daß es mit der Raucherei vorbei ist, sobald Sie die letzte Zigarette ausgedrückt haben. Sie haben bereits alles Nötige getan. Sie haben den Nikotin-Nachschub gestoppt.

Keine Macht der Erde kann Sie daran hindern, frei zu sein. Stürzen Sie sich ins Leben und genießen Sie es; setzen Sie sich von Anfang an mit ihm auseinander. Dann werden Sie auf den Augenblick der Erleuchtung nicht lange zu warten brauchen.

40 | Die letzte Zigarette

Steht Ihr Zeitplan einmal fest, sind Sie reif dafür, Ihre letzte Zigarette zu rauchen. Bevor Sie das tun, überprüfen Sie noch eimal die beiden wesentlichen Voraussetzungen:

1. Sind Sie innerlich vom Erfolg überzeugt?
2. Fühlen Sie sich bedrückt und bedroht, oder sind Sie aufgeregt, daß Sie gleich etwas Wunderbares fertigbringen werden?

Falls Sie noch irgendwelche Zweifel haben, lesen Sie zuerst das Buch noch einmal.

Wenn Sie sich hundertprozentig bereit fühlen, rauchen Sie Ihre letzte Zigarette. Rauchen Sie sie allein und ganz bewußt. Konzentrieren Sie sich auf jeden Zug. Konzentrieren Sie sich auf den Geschmack und den Geruch. Konzentrieren Sie sich auf den krebserregenden Rauch, der Ihre Lungen erfüllt. Konzentrieren Sie sich auf die Giftstoffe, die sich in Ihren Arterien und Venen anlagern. Konzentrieren Sie sich auf das Nikotin, das Ihren Körper durchzieht.

Wenn Sie sie ausdrücken, denken Sie einfach, wie schön es sein wird, das nicht mehr tun zu müssen. Die Sklaverei gegen die Freiheit einzutauschen, ist ein so freudiges Gefühl, wie wenn Sie eine Welt voll schwarzer Schatten hinter sich lassen und in die Sonne hinaustreten.

41 | Eine letzte Warnung

Kein Raucher, der die Chance hätte, bei seinem heutigen Wissen die Uhr bis zur Zeit vor seiner Sucht zurückzudrehen, würde sich dazu entscheiden, mit dem Rauchen anzufangen. Viele Raucher, die mich aufsuchen, sind davon überzeugt, daß sie nie wieder im Leben eine Zigarette anrühren würden, wenn ich ihnen nur helfen könnte, mit dem Rauchen aufzuhören. Trotzdem tappen viele Ex-Raucher, nachdem sie jahrelang nicht geraucht haben, erneut in die Falle.

Ich habe volles Vertrauen, daß dieses Buch Ihnen das Aufhören des Rauchens ziemlich leichtmachen wird. Aber lassen Sie sich warnen: Rauchern, denen es leichtfällt, das Rauchen aufzugeben, fällt es auch leicht, wieder damit anzufangen.

Gehen Sie nicht in diese Falle.

Egal, wie lange Sie schon nicht mehr rauchen, oder wie sicher Sie sind, nie mehr nikotinsüchtig zu werden – machen Sie es sich zur Lebensregel, aus keinem wie auch immer gearteten Grund jemals wieder zu rauchen. Trotzen Sie den Millionensummen, die die Tabakindustrie für ihre Werbung ausgibt, und rufen Sie sich ins Gedächtnis, daß hier die Killerdroge und das Gift Nummer eins angepriesen wird. Sie würden sich nie dazu verleiten lassen, einmal Heroin auszuprobieren, und doch liegt die Zahl der Nikotintoten in der westlichen Gesellschaft um Hunderttausende höher als die der Heroinopfer.

Denken Sie daran, die erste Zigarette bringt Ihnen nichts. Es besteht keine Notwendigkeit, irgendwelche Entzugserscheinungen zu lindern, und der Geschmack ist scheußlich. Die Zigarette schleust lediglich Nikotin in Ihren Körper und schaltet die leise Stimme in Ihrem Hinterkopf an, die sagt: »Du willst noch eine zweite Zigarette.« Dann stehen Sie vor der Wahl, sich eine Woche lang elend zu fühlen, oder den ganzen schmutzigen Teufelskreis erneut zu beginnen.

42 | Fünf Jahre Erfahrung

Seit dem Erscheinen der Erstausgabe dieses Buches kann ich nun auf fünf Jahre Feedback zurückblicken, sowohl aus meiner Beratungstätigkeit als auch auf mein Buch hin. Am Anfang hatte ich zu kämpfen. Die sogenannten Experten rümpften über meine Methode die Nase. Heute kommen Raucher aus aller Welt angereist, um an meinen Beratungsgruppen teilzunehmen, darunter mehr Ärzte als Angehörige sonstiger Berufe. In Großbritannien gilt dieses Buch bereits als wirkungsvollstes Hilfsmittel bei der Raucherentwöhnung, und sein Ruhm breitet sich auch im Ausland rasch aus.

Ich bin kein Wohltäter. Ich bekämpfe das Rauchen – nicht die Raucher, wohlgemerkt – rein aus dem selbstsüchtigen Grund, weil es mir Spaß macht. Jedesmal, wenn ich von einem Raucher höre, der dem Gefängnis entronnen ist, bereitet mir das eine tiefe Genugtuung, auch wenn es nichts mit mir zu tun hat. Sie können sich vorstellen, wieviel Freude mir die Tausende von Dankesbriefen machen, die ich im Lauf der Jahre empfangen habe.

Aber es gab auch große Enttäuschungen. Ursache sind

zwei Kategorien von Rauchern. Vor allem macht mir die Zahl der Raucher zu schaffen, die trotz der Warnung im vorangehenden Kapitel zwar problemlos mit dem Rauchen aufhören, aber dann doch wieder der Sucht verfallen und es beim zweiten Anlauf nicht mehr schaffen. Das gilt nicht nur für Leser dieses Buchs, sondern auch für Teilnehmer meiner Gruppen.

Vor etwa zwei Jahren rief mich ein Mann an. Er war völlig außer sich, weinte sogar. Er sagte: »Ich zahle Ihnen dreitausend Mark, wenn Sie mir helfen können, eine Woche lang mit dem Rauchen aufzuhören. Ich weiß, wenn ich eine einzige Woche überstehe, dann schaffe ich's.« Ich sagte ihm, daß ich ein festes Honorar verlange und er nicht mehr Geld zu bezahlen brauche. Er nahm an einer Gruppe teil, und zu seiner Überraschung fiel es ihm leicht, mit dem Rauchen aufzuhören. Er schickte mir einen sehr netten Dankesbrief.

Praktisch das letzte, was ich den Ex-Rauchern beim Verlassen meiner Gruppe auf den Weg gebe, ist: »Nicht vergessen: Sie dürfen nie wieder auch nur eine einzige Zigarette rauchen.« Genau dieser Mann sagte: »Keine Sorge, Allen. Wenn ich es schaffe aufzuhören, werde ich ganz sicher nie mehr rauchen.«

Ich hatte schon gemerkt, daß bei ihm die Warnung nicht richtig eingesickert war. Ich sagte: »Ich weiß, wie Sie im Moment darüber denken, aber wie wird's in sechs Monaten sein?«

Er erwiderte: »Allen, ich werde nie wieder rauchen.«

Etwa ein Jahr später rief er wieder an. »Allen, ich habe Weihnachten eine kleine Zigarre geraucht, und jetzt rauche ich wieder zwei Schachteln am Tag.«

Ich sagte: »Erinnern Sie sich an Ihren ersten Anruf? Ihnen war die Raucherei so verhaßt, daß Sie mir dreitausend Mark gezahlt hätten, wenn ich es Ihnen ermöglichen könnte, eine Woche lang nicht zu rauchen.«

»Ich erinnere mich. Bin ich nicht blöd gewesen?«

»Erinnern Sie sich an Ihr Versprechen, nie mehr zu rauchen?«

»Ich weiß. Ich bin ein Idiot.«

Es ist, wie wenn Sie einen Menschen finden, der bis zum Hals im Sumpf steckt und gleich darin versinken wird. Sie ziehen ihn heraus. Er ist Ihnen dankbar, aber sechs Monate später springt er wieder hinein.

Was nun folgender Mann in einer Sitzung erzählte, klingt wie eine Ironie des Schicksals:

»Ist das zu glauben? Ich bot meinem Sohn dreitausend Mark an, wenn er bis zu seinem einundzwanzigsten Geburtstag nicht anfinge zu rauchen. Ich zahlte. Jetzt ist er zweiundzwanzig und qualmt wie ein Schlot. Ich kann nicht glauben, daß er so blöd sein konnte.«

Ich sagte: »Ich begreife nicht, wie Sie ihn blöd schimpfen können. Wenigstens ist er der Falle zweiundzwanzig Jahre lang aus dem Weg gegangen und weiß nicht, welches Elend ihn erwartet. Sie selbst dagegen wußten es ganz genau und haben es nur ein Jahr lang geschafft.«

Raucher, denen es leicht fällt, sich das Rauchen abzugewöhnen, die aber wieder damit anfangen, sind ein Problem für sich, und um ihnen zu helfen, werde ich in Kürze ein zweites Buch veröffentlichen. Doch wenn Sie sich jetzt von Ihrer Sucht befreien, **machen Sie bitte, bitte denselben Fehler nicht noch einmal.** Raucher glauben, daß diese Leute deshalb wieder anfangen, weil sie immer noch abhängig sind und die Zigaretten vermissen. Doch sie fanden es so einfach, mit dem Rauchen aufzuhören, daß sie die Angst vor dem Rauchen verlieren. Sie denken: »Ich kann mir ruhig gelegentlich eine gönnen. Sollte ich tatsächlich wieder süchtig werden, kann ich ganz leicht wieder aufhören.« Ich fürchte, so einfach läuft es nicht. Mit dem Rauchen aufzuhören ist leicht, aber es ist unmöglich, seine Sucht im Griff zu haben. Die wesentliche Voraussetzung für jeden Versuch, zum Nichtraucher zu werden, ist es, *nicht zu rauchen.*

Die zweite Kategorie von Ex-Rauchern, die mich enttäuscht, sind diejenigen, die einfach zu große Angst haben, um einen Versuch zu wagen, oder die sehr zu kämpfen haben, wenn sie es doch tun. Die Hauptschwierigkeiten scheinen dabei folgende zu sein:

1. Angst vor dem Versagen. Zu scheitern ist keine Schande, es aber nicht einmal versuchen ist schiere Dummheit. Betrachten Sie es einmal so: Sie verstecken sich, aber niemand sucht Sie! Das Schlimmste, was Ihnen passieren kann, ist, daß Sie es nicht schaffen, in welchem Fall Sie nicht schlimmer dran sind als jetzt. Denken Sie doch nur daran, wie wunderbar es wäre, wenn Sie es doch schaffen. Aber es nicht einmal zu versuchen ist wie ein garantierter Fehlschlag.

2. Angst vor Panik und psychischem Elend. Machen Sie sich darüber keine Sorgen. Denken Sie nur, was Ihnen Schreckliches zustoßen könnte, falls Sie nie wieder eine Zigarette rauchten? Absolut nichts. Schreckliche Dinge werden nur passieren, wenn Sie weiterrauchen. Auf jeden Fall sind die Zigaretten die Verursacher der Panik, die rasch verschwinden wird. Der größte Gewinn dabei ist die Freiheit von dieser Angst. Glauben Sie wirklich, daß Raucher Arm- und Beinamputionen in Kauf nehmen, weil ihnen das Rauchen solchen Genuß verschafft? Falls Sie ein Gefühl der Panik überkommt, hilft tiefes Durchatmen. Falls andere Sie fertigmachen, entziehen Sie sich ihnen. Flüchten Sie in die Garage oder in ein leeres Büro oder sonstwohin.

Schämen Sie sich nicht, wenn Sie den Drang zu weinen

haben. Weinen ist das natürliche Ventil, um sich von Spannungen zu befreien. Es hat sich noch niemand so richtig ausgeweint, ohne sich nachher besser zu fühlen. Wir tun kleinen Jungen Schreckliches an, wenn wir ihnen beibringen, sie dürften nicht weinen. Sie versuchen, die Tränen zurückzuhalten, malmen aber mit den Kiefern. Lange galt es als unmännlich, seine Gefühle zu zeigen. Doch wir sind dazu gemacht, unsere Gefühle herauszulassen, und nicht, sie herunterzuschlucken. Kreischen Sie, schreien Sie, toben Sie. Trampeln Sie auf einem Pappkarton herum oder treten Sie gegen einen Aktenschrank. Betrachten Sie Ihren Kampf als Match, das Sie nicht verlieren können.

Niemand kann die Zeit aufhalten. In jedem Augenblick, der verstreicht, stirbt die kleine Bestie in Ihnen ein bißchen mehr. Jubeln Sie Ihrem unausweichlichen Sieg entgegen.

3. Das Nichtbefolgen meiner Anweisungen. Unglaublicherweise sagen ein paar Raucher zu mir: »Ihre Methode hat bei mir einfach nicht geklappt.« Dann beschreiben sie, wie sie nicht nur eine Anweisung, sondern praktisch alle in den Wind geschlagen haben. (Zur Klärung werde ich sie in der Checkliste am Ende des Kapitels noch einmal zusammenfassen.)

4. Eine falsche Auslegung meiner Anweisungen. Die wichtigsten Mißverständnisse scheinen zu sein:

a) »Ich kann nicht aufhören, ans Rauchen zu denken.« Natürlich können Sie das nicht, und jeder Versuch erzeugt nur Zwangsvorstellungen und Katzenjammer. Es ist genau wie beim Versuch, abends einzuschlafen: Je dringender Sie es versuchen, desto schwieriger wird es. Ich denke beim Wachen und Schlafen ungefähr neunzig

Prozent der Zeit ans Rauchen. Wichtig ist nur, *was* Sie denken. Wenn Sie denken: »Ach, ich hätte sooo gerne eine Zigarette«, oder »Wann werde ich endlich frei sein?«, dann wird es Ihnen schlechtgehen. Wenn Sie denken: »Juhuu! Ich bin frei!«, dann werden Sie glücklich sein.

b) »Wann wird das körperliche Verlangen verschwinden?« Das Nikotin verläßt Ihren Körper sehr rasch. Aber es läßt sich unmöglich voraussagen, wann Ihr Körper nicht mehr nach Nikotin verlangen wird. Dieses Gefühl der Leere und Unsicherheit wird von ganz normalem Hunger, Niedergeschlagenheit oder Streß erzeugt. Zigaretten verstärken es nur. Deshalb sind Raucher, die nach der »Methode Willenskraft« vorgehen, nie ganz sicher, wann sie sich nun endgültig das Rauchen abgewöhnt haben. Sogar wenn der Körper kein Verlangen nach Nikotin mehr anmeldet, sondern sie lediglich Hunger haben oder Streß ausgesetzt sind, signalisiert das Gehirn immer noch: »Das heißt, du willst eine Zigarette.« Der Witz an der Sache ist, daß Sie nicht darauf zu warten brauchen, bis das Verlangen nach Nikotin verschwunden ist; es ist ohnehin so gering, daß wir es kaum bemerken. Wir kennen es nur als den Drang: »Ich will jetzt rauchen.« Wenn Sie nach Abschluß der Behandlung die Zahnarztpraxis verlassen, warten Sie dann darauf, daß Ihr Kiefer aufhört zu schmerzen? Natürlich nicht. Sie leben einfach Ihr Leben weiter. Auch wenn der Kiefer noch schmerzt, fühlen Sie sich beschwingt.

c) Das Warten auf den Augenblick der Erleuchtung. Wenn Sie darauf warten, erzeugen Sie nur eine weitere Zwangsvorstellung. Ich habe einmal drei Wochen lang nach der »Methode Willenskraft« ohne Zigaretten

durchgehalten. Ich traf einen alten Schulfreund und Ex-Raucher. Er begrüßte mich: »Wie geht's denn so?«
Ich sagte: »Ich habe drei Wochen überlebt.«
Er fragte: »Was meinst du mit ›drei Wochen überlebt‹?«
Ich erklärte: »Ich habe seit drei Wochen nicht geraucht.«
Er sagte: »Und was willst du jetzt tun? Den Rest deines Lebens *überleben*? Worauf wartest du denn? Du hast's doch geschafft. Du bist ein Nichtraucher.«
Ich dachte: »Er hat absolut recht. Worauf warte ich eigentlich?« Leider hatte ich den ganzen Mechanismus der Falle damals noch nicht begriffen und saß bald wieder drinnen, aber diesen Punkt hatte ich mir gemerkt. Sie werden zum Nichtraucher, sobald Sie Ihre letzte Zigarette ausgedrückt haben. Wichtig dabei ist, daß Sie von Anfang an ein glücklicher Nichtraucher sind.

d) »Ich sehne mich immer noch nach einer Zigarette.« Dann sind Sie sehr dumm. Wie können Sie behaupten: »Ich möchte ein Nichtraucher sein«, und dann sagen: »Ich möchte eine Zigarette rauchen«? Das ist ein Widerspruch. Wenn Sie sagen: »Ich möchte eine Zigarette rauchen«, dann sagen Sie: »Ich will ein Raucher sein.« Nichtraucher wollen keine Zigaretten rauchen. Sie wissen bereits, was Sie sein wollen; hören Sie also auf, sich zu bestrafen.

e) »Für mich ist das Leben vorbei.« Warum? Alles, was Sie nicht mehr tun dürfen, ist, sich die Luft zum Atmen abzudrehen. Sie brauchen nicht aufhören zu leben. Schauen Sie, es ist ganz einfach. Die nächsten paar Tage werden für Sie leicht unangenehm sein. Ihr Körper wird nach Nikotin verlangen. Doch denken Sie dabei stets an folgendes: Sie sind nicht schlimmer dran als vorher.

Genau das haben Sie in Ihrem ganzen Raucherdasein erlebt, jedesmal im Schlaf oder in einer Kirche, einem Supermarkt, einer Bibliothek. Als Sie noch rauchten, schien Ihnen das kaum etwas auszumachen, und wenn Sie jetzt nicht aufhören, werden Sie Ihr Leben lang unter diesem Entzugsstreß leiden. Zigaretten erhöhen beim Essen, Trinken, Feiern mit Freunden nicht den Genuß, sondern ruinieren ihn. Sogar während Ihr Körper noch nach Nikotin dürstet, sind ein schönes Essen und eine gesellige Runde wunderbare Erlebnisse. Das Leben ist wunderbar. Gehen Sie zu gesellschaftlichen Ereignissen, selbst wenn zwanzig Raucher dort sind. Erinnern Sie sich daran, daß nicht *Sie* Mangel leiden müssen, sondern *die Raucher*. Jeder einzelne von ihnen wäre liebend gern in Ihrer Lage. Genießen Sie es, die Primadonna zu spielen und im Mittelpunkt der Aufmerksamkeit zu stehen. Sich das Rauchen abzugewöhnen gibt ein phantastisches Gesprächsthema ab, vor allem, wenn die Raucher sehen, daß Sie dabei froh und glücklich sind. Sie werden sich in Bewunderung sonnen. Das Entscheidende an der Sache ist, daß Sie gleich von Anfang an das Leben genießen. Es besteht keinerlei Anlaß, die Raucher zu beneiden. Die Raucher werden Sie beneiden.

f) »Ich fühle mich elend und gereizt.« Das kann nur sein, wenn Sie meine Anweisungen nicht befolgen. Überlegen Sie, wo es hakt. Manche Leute begreifen und glauben alles, was ich sage, aber steigen trotzdem in Weltuntergangsstimmung in die Startlöcher, als würde etwas Furchtbares passieren. Sie tun nicht nur etwas, was Sie selbst gern wollen, sondern was jeder Raucher auf unserem Planeten gern tun würde. Jeder Ex-Raucher würde liebend gern – egal, mit welcher Methode – ein solches seelisches Gleichgewicht erlangen, daß er jedesmal, wenn er ans Rauchen denkt, innerlich jubeln kann: »Hurra! Ich bin frei!« Wenn das auch Ihr Ziel ist, warum warten Sie dann noch? Legen Sie gleich in jener inneren Gelassenheit los und verlieren Sie sie nie wieder. Der Rest des Buches dient dazu, Ihnen begreiflich zu machen, daß es keine Alternative gibt.

Checkliste

Wenn Sie diesen einfachen Anweisungen folgen, kann nichts schiefgehen.

1. Legen Sie ein feierliches Gelübde ab, daß Sie niemals wieder etwas rauchen, kauen oder lutschen werden, das Nikotin enthält, und halten Sie sich daran.
2. Machen Sie sich eines bewußt: Da ist absolut nichts, was Sie *aufgeben* müßten. Darunter verstehe ich nicht einfach, daß es Ihnen als Nichtraucher in jeder Hinsicht bessergehen wird (das haben Sie ja schon immer gewußt). Ich meine damit auch nicht, daß es zwar keinen vernünftigen Grund gibt, der fürs Rauchen spricht, Sie aber trotzdem irgendein Vergnügen oder eine Hilfe davon haben müssen, weil Sie es sonst nicht tun würden. Sondern ich meine, daß Zigaretten weder echten Genuß noch wahre Hilfe bieten. Das ist nur eine Täuschung, wie wenn Sie mit dem Kopf gegen die Wand rennen, weil das Gefühl, damit aufzuhören, so angenehm ist.
3. Es gibt keine »eingefleischten«, unverbesserlichen Raucher. Sie sind nur einer von Millionen, die in diese raffinierte Falle gestolpert sind. Wie Millionen anderer Ex-

Raucher, die einmal glaubten, sie könnten nicht entkommen, sind Sie Ihrer Sucht entkommen.

4. Wenn Sie immer wieder die Vor- und Nachteile des Rauchens gegeneinander abwägen, lautet der Schluß stets: »Hör auf damit. Du bist ein Idiot.« Daran wird sich nie etwas ändern. Das war schon immer so und wird immer so sein. Nachdem Sie die Entscheidung getroffen haben, von deren Richtigkeit Sie überzeugt sind, quälen Sie sich nie mit Selbstzweifeln.

5. Versuchen Sie nicht, jeden Gedanken ans Rauchen zu verdrängen, und machen Sie sich keine Sorgen, wenn Sie dauernd daran denken. Aber wenn Sie daran denken – heute, morgen oder den Rest Ihres Lebens –, dann in folgender Form: »Juhuu! Ich bin ein Nichtraucher!«

6. Verwenden Sie keine Ersatzprodukte.
Lagern Sie keine Zigarettenvorräte.
Meiden Sie nicht die Gesellschaft anderer Raucher.
Ändern Sie Ihren Lebensstil nicht lediglich aufgrund der Tatsache, daß Sie nicht mehr rauchen.

Wenn Sie die obigen Anweisungen befolgen, werden Sie bald den Augenblick der Erleuchtung erleben. Aber:

7. Warten Sie nicht auf diesen Moment. Leben Sie einfach weiter. Genießen Sie die Höhepunkte und überwinden Sie die Tiefpunkte. Dann wird dieser Moment nicht auf sich warten lassen.

43 | Helfen Sie den Rauchern auf dem sinkenden Schiff

Unter den Rauchern herrscht heutzutage Panik. Sie spüren, daß sich in der Gesellschaft etwas verändert. Das Rauchen gilt heute als unsoziale Verhaltensweise, sogar bei den Rauchern selbst. Auch sie haben das Gefühl, daß die ganze Sache dem Ende naht. Millionen von Raucher befreien sich von ihrer Sucht, und alle Raucher sind sich dessen bewußt.

Jedesmal, wenn ein Raucher das sinkende Schiff verläßt, fühlen sich die Zurückgebliebenen noch elender. Jeder Raucher weiß instinktiv, daß es lächerlich ist, gutes Geld für getrocknete, in einer Papierhülle zusammengerollte Blätter zu bezahlen, sie anzuzünden und dann krebserregende Teerstoffe in seine Lungen einzuatmen. Wenn Sie dieses Verhalten immer noch nicht blödsinnig finden, versuchen Sie doch einmal, sich eine brennende Zigarette ins Ohr zu stecken, und fragen Sie sich nach dem Unterschied. Es gibt nur einen: Auf diese Art kommt man nicht ans Nikotin heran. Wenn Sie aufhören können, sich Zigaretten in den Mund zu stecken, werden Sie das Nikotin nicht mehr brauchen.

Raucher können keinen vernünftigen Grund nennen, warum sie rauchen, aber wenn andere es auch tun, kommen sie sich nicht ganz so idiotisch vor.

Raucher lügen ganz offenkundig sich und anderen etwas vor, was ihre Raucherei angeht. Dazu sind sie gezwungen. Um nicht alle Selbstachtung zu verlieren, besorgen sie sich ihre Gehirnwäsche selbst. Sie haben das Bedürfnis, ihre Gewohnheit zu rechtfertigen, nicht vor sich selbst, sondern vor den Nichtrauchern. Deshalb lassen sie sich ständig darüber aus, wie schön und angenehm das Rauchen angeblich ist.

Setzt ein Raucher auf die »Methode Willenskraft«, um mit dem Rauchen aufzuhören, wird er immer das Gefühl haben, etwas entbehren zu müssen, und darüber jammern. Das bestätigt andere Raucher nur darin, wie recht sie haben, wenn sie weiterrauchen. Hat es ein Ex-Raucher tatsächlich geschafft, sich das Rauchen abzugewöhnen, ist er dankbar, daß er nicht länger seine Gesundheit mit Füßen treten und sein Geld verschleudern muß. Aber er tut nichts, weswegen er sich rechtfertigen müßte, daher geht er auch nicht von sich aus herum und erzählt überall, wie wunderbar es ist, nicht zu rauchen. Das tut er nur, wenn man ihn dazu auffordert, und kein Raucher wird ihn dazu auffordern. Denn er bekäme nur Unangenehmes zu hören. Denken Sie daran, daß ein Raucher deshalb raucht, weil ihn die Angst dazu treibt, und er steckt lieber den Kopf in den Sand, als etwas über den wunderbaren Zustand des Nichtrauchens zu hören.

Erst wenn der Zeitpunkt des Aufhörens gekommen ist, wollen Raucher etwas darüber wissen.

Helfen Sie den Rauchern. Nehmen Sie ihnen die Angst. Erzählen Sie ihnen, wie herrlich es ist, nicht ständig auf seiner Gesundheit herumtrampeln zu müssen, wie toll es ist, morgens aufzuwachen und sich gesund und fit zu fühlen, anstatt zu husten und um Luft zu ringen, wie wunderbar es ist, der Sklaverei entronnen zu sein, das ganze Leben genießen zu können, nachdem sich die fürchterlichen schwarzen Schatten in Wohlgefallen aufgelöst haben.

Oder, besser noch, bringen Sie ihn dazu, dieses Buch zu lesen. Es ist sehr wichtig, den Raucher nicht noch durch Angriffe herunterzumachen, er verpeste die Luft oder sei sonst irgendwie unsauber. Man hört allgemein, Ex-Raucher seien in dieser Hinsicht die schlimmsten. Diese Meinung hat etwas für sich, und ich glaube, es liegt an der »Methode Willenskraft«. Weil sich der Ex-Raucher zwar von seiner

Gewohnheit, nicht aber von sämtlichen Spuren seiner Gehirnwäsche befreit hat, glaubt er irgendwo immer noch, er hätte ein Opfer gebracht. Er fühlt sich verletzlich, und aus einem natürlichen Abwehrmechanismus heraus attackiert er den Raucher. Das mag dem Ex-Raucher helfen, bringt aber den Raucher kein bißchen weiter. Er stellt dann nur die Stacheln auf, fühlt sich noch elender und hat ein noch größeres Bedürfnis nach dem Tröster Zigarette.

Zwar ist der Wandel in der allgemeinen Einstellung gegenüber dem Rauchen der Hauptgrund, warum sich Millionen von Rauchern von ihrer Sucht lossagen, aber dieser Wandel macht es ihnen nicht leichter. Im Gegenteil, er erschwert die Sache beträchtlich. Die meisten Raucher glauben heute, sie gewöhnen sich das Rauchen aus gesundheitlichen Gründen ab. Das trifft nicht ganz zu. Zwar ist das enorme gesundheitliche Risiko nach außen hin der Hauptgrund, wenn jemand aufhört zu rauchen, doch jahrzehntelang haben sich Raucher zu Tode geraucht, ohne daß dies irgendwelche Konsequenzen gezeigt hätte. Der Hauptgrund ist vielmehr, daß die Gesellschaft das Rauchen als das zu erkennen beginnt, was es wirklich ist: als gemeine Drogensucht. Der Genuß war immer eine Illusion; diese Einstellung zerstört die Illusion, und dem Raucher bleibt nichts mehr.

Das völlige Rauchverbot in den Londoner U-Bahnen ist ein klassisches Beispiel für das Dilemma, in dem der Raucher gefangen ist. Der Raucher zieht entweder die Konsequenz: »Na schön. Wenn ich in der U-Bahn nicht rauchen darf, werde ich eben auf andere Transportmittel zurückgreifen«, wodurch die U-Bahn-Betreiber Erkleckliches an Einkünften einbüßen; oder er sagt: »Gut. Das wird mir helfen, weniger zu rauchen.« Anstatt ein bis zwei Zigaretten in der U-Bahn zu rauchen, die er nicht genossen hätte, muß er eine Stunde lang verzichten. Während dieser erzwungenen Abstinenz jedoch leidet er nicht nur psychisch und wartet schon auf seine Belohnung, sondern auch sein Körper verlangt dringlich nach Nikotin – und ach wie köstlich wird die nächste Zigarette sein, wenn er sie endlich anzünden darf.

Erzwungene Enthaltsamkeit schränkt den Zigarettenkonsum nicht ein, weil der Raucher nur noch mehr raucht, wenn er schließlich wieder darf. Er wird lediglich in seiner Meinung bestätigt, wie kostbar Zigaretten sind und wie stark er von ihnen abhängig ist. Am heimtückischsten wirkt sich eine erzwungene Abstinenz bei schwangeren Frauen aus. Wir lassen es zu, daß unsere bedauernswerten Teenis mit massiver Werbung bombardiert werden, die sie überhaupt erst in die Sucht treibt. In der Zeit, die für junge Frauen wahrscheinlich der größte Streß ihres Leben bedeutet und in der folglich ihr irregeleitetes Verlangen nach Zigaretten am größten ist, werden sie von den Medizinern unter Druck gesetzt, wegen der drohenden Schädigung des Ungeborenen mit dem Rauchen aufzuhören. Viele schaffen das nicht und leiden zeitlebens an Schuldgefühlen, ohne daß sie etwas dafür können. Viele schaffen es und freuen sich darüber; sie denken: »Wunderbar; ich tue das für mein Kind, und nach neun Monaten bin ich sowieso geheilt.« Dann kommen die Wehen und die Angst vor der Geburt, anschließend einer der wunderbarsten Momente im Leben. Die Schmerzen und die Angst sind vorbei, und das Baby da. Und der alte Auslösemechanismus ist am Werk. Die Gehirnwäsche hat ihre Spuren hinterlassen, und fast noch bevor die Nabelschnur durchtrennt ist, hat die junge Mutter eine Zigarette im Mund. In ihrer grenzenlosen Freude merkt sie gar nicht, wie übel die schmeckt. Sie hat nicht die Absicht, wieder nikotinsüchtig zu werden. »Nur die eine Zigarette.« Zu spät! Sie ist bereits wieder süchtig. Nikotin hat sich wieder in ihren Körper eingeschlichen. Das alte Verlangen flammt wieder auf, und selbst wenn sie nicht sofort wieder anfängt zu rauchen, wird ihr wahrscheinlich die Wochenbettdepression den Rest geben.

Obwohl Heroinsüchtige dem Gesetz nach Kriminelle sind, stellt sich unsere Gesellschaft ganz zu Recht die Frage: »Was können wir tun, um diesen bedauernswerten Menschen zu helfen?« Dieselbe Haltung sollten wir gegenüber dem armen Raucher einnehmen. Er raucht nicht, weil er so gern möchte, sondern weil er glaubt, er müsse es tun, und im Unterschied zum Heroinsüchtigen muß er meist jahrelang psychische und körperliche Qualen leiden. Wir sagen immer, ein rascher Tod sei besser als ein langsamer, beneiden Sie also den armen Raucher nicht. Er hat Ihr Mitleid nötig.

44 | Ein Rat für Nichtraucher

Bringen Sie die Raucher unter Ihren Freunden oder Verwandten dazu, dieses Buch zu lesen.

Setzen Sie sich als erstes mit dem Inhalt dieses Buches auseinander und versuchen Sie, sich in einen Raucher hineinzudenken. Zwingen Sie weder den Raucher, dieses Buch zu lesen, noch ihn vom Rauchen durch Vorhaltungen abzubringen, er ruiniere seine Gesundheit und werfe sein Geld zum Fenster raus. Das weiß er selbst besser als Sie. Raucher rauchen nicht wegen des Genusses, den sie davon haben, oder weil sie einfach gern rauchen möchten. Das reden sie sich und anderen nur ein, um sich ihre Selbstachtung zu bewahren. Sie rauchen, weil sie sich von Zigaretten abhängig fühlen, weil sie glauben, sie fänden durch Zigaretten Entspannung, Lebensmut und Selbstvertrauen, und das Leben würde ohne Zigaretten keinen Spaß machen. Versuchen Sie, einen Raucher zum

Aufgeben zu zwingen, fühlt er sich wie ein Tier in der Falle und wird nur noch mehr nach einer Zigarette gieren. Vielleicht wird er zum heimlichen Raucher, und die Zigarette steigt für ihn nur noch in ihrem Wert.

Konzentrieren Sie sich statt dessen auf die andere Seite der Medaille. Bringen Sie ihn mit anderen starken Rauchern zusammen, die das Rauchen aufgegeben haben (es gibt Millionen davon). Die sollen ihm erzählen, wie sie einst dachten, sie würden ihr Leben lang nie von der Sucht loskommen, und wieviel schöner das Leben als Nichtraucher ist.

Sobald Sie ihn soweit gebracht haben, daß er an seine Fähigkeit glaubt, mit dem Rauchen aufhören zu können, wird er sich innerlich öffnen. Dann beginnen Sie, ihm zu erklären, wie die Entzugserscheinungen seine Wahrnehmung der Realität verzerren. Zigaretten schenken ihm keine neue Energie, sondern untergraben im Gegenteil sein Selbstvertrauen und sind für Gereiztheit und Anspannung verantwortlich.

Jetzt sollte er dieses Buch selbst lesen. Er wird wohl erwarten, seitenlang mit Ausführungen über Lungenkrebs, Herzerkrankungen usw. bombardiert zu werden. Erklären Sie ihm, daß dieses Buch völlig anders an die Sache herangeht, und daß die Auseinandersetzung mit Krankheiten nur einen Bruchteil des Inhalts darstellt.

HELFEN SIE IHM WÄHREND DER ENTZUGS-PERIODE.

Ob der Ex-Raucher nun tatsächlich leidet oder nicht, halten Sie ihm einfach einmal zugute, daß er es tut. Versuchen Sie nicht, sein Leiden herunterzuspielen, indem Sie ihn darauf hinweisen, wie einfach es ist, mit dem Rauchen aufzuhören; das kann er dem Buch selber auch entnehmen. Sagen Sie ihm statt dessen immer wieder, wie stolz Sie auf ihn sind, wieviel besser er aussieht, wieviel angenehmer er riecht, wieviel leichter er jetzt atmet. Es ist äußerst wichtig, daß Sie in Ihrer

Unterstützung nicht nachlassen. Wenn ein Raucher einen Versuch macht, sich das Rauchen abzugewöhnen, können ihm das Hochgefühl des Anfangs und die Aufmerksamkeit, die Freunde und Kollegen ihm schenken, über die erste Durststrecke hinweghelfen. Doch der Mensch vergißt allzu leicht; loben Sie ihn deshalb bewußt weiter.

Weil er nicht übers Rauchen redet, glauben Sie vielleicht, er hätte es schon ganz vergessen, und wollen ihn nicht daran erinnern. Bei der »Methode Willenskraft« ist meist das Gegenteil der Fall, da hier der Raucher dazu neigt, wie besessen an nichts anderes mehr zu denken. Haben Sie keine Angst davor, das Thema zur Sprache zu bringen, und überschütten Sie ihn weiterhin mit Lob; er wird Ihnen schon sagen, wenn er nicht ans Rauchen erinnert werden will.

Geben Sie sich auch Mühe, um ihm während der Entzugsperiode soviel Streß wie möglich zu ersparen. Lassen Sie sich etwas einfallen, um ihm das Leben mit kleinen Freuden und Genüssen zu versüßen. Auch für Nichtraucher kann das eine mühsame Zeit werden. Ist ein Mitglied einer Gruppe gereizt, kann das ringsherum miese Stimmung erzeugen. Wappnen Sie sich innerlich dagegen, wenn der Ex-Raucher schlechte Laune hat. Vielleicht läßt er sie an Ihnen aus, aber vergelten Sie ihm nicht Gleiches mit Gleichem; gerade jetzt braucht er Ihr Lob und Mitgefühl am meisten. Wenn Sie selbst gereizt sind, versuchen Sie bitte, es nicht zu zeigen.

Einer der Tricks, die ich bei meinen eigenen Versuchen nach der »Methode Willenskraft« einsetzte, bestand darin, daß ich einen Wutanfall in Szene setzte und hoffte, meine Frau oder einer meiner Freunde würde sagen: »Ich kann es nicht mehr ertragen, dich so leiden zu sehen. Rauch halt um Gottes willen eine Zigarette.« Dann verliert der Raucher nämlich sein Gesicht nicht, weil er seiner Sucht nicht »nachgibt« – ihm wurde die Zigarette ja mehr oder weniger verordnet. Sollte Ihnen der Ex-Raucher mit dieser List kommen, ermuntern Sie ihn auf keinen Fall zum Rauchen. Sagen Sie statt dessen: »Wenn Zigaretten bei dir eine solche Wirkung haben, kannst du Gott auf den Knien danken, daß du bald davon frei sein wirst. Toll, daß du den Mut und den Verstand hattest, das Rauchen aufzugeben.«

Finale | Helfen Sie, diesem Skandal ein Ende zu setzen

Ich halte das Rauchen für den größten Skandal in der westlichen Gesellschaft, Atomwaffen eingeschlossen.

Die Grundlage der Zivilisation, der Grund, warum die Spezies Mensch so weit vorangeschritten ist, ist unsere Fähigkeit, unser Wissen und unsere Erfahrung uns nicht nur gegenseitig, sondern auch den künftigen Generationen zu übermitteln. Sogar weniger hoch entwickelte Tierarten erkennen die Notwendigkeit, ihren Nachwuchs vor den Fallstricken des Lebens zu warnen.

Solange Atomwaffen nicht zum Einsatz kommen, gibt es keine Probleme. Die Befürworter nuklearer Waffensysteme können selbstgefällig weiter herumtönen: »Diese Waffen wahren den Frieden.« Geht doch eine Bombe hoch, wird sie das Raucherproblem sowieso lösen, und die Politiker haben das zusätzliche Plus auf ihrer Seite, daß es niemand mehr gibt, der sie zur Rechenschaft zieht: »Sie haben sich geirrt.« (Ich frage mich, ob Politiker deshalb Atomwaffen befürworten.)

So sehr ich auch ein Gegner von Atomwaffen bin, wenigstens muß ich zugestehen, daß solche Entscheidungen in gutem Glauben gefällt werden, in der echten Überzeugung, der Menschheit damit einen Dienst zu erweisen; doch was das Rauchen angeht, sind die Fakten sattsam bekannt. Vielleicht glaubte man noch im letzten Krieg ernstlich, Zigaretten gäben einem Mut und Selbstvertrauen. Heute wissen die Behörden, daß das nicht stimmt. Schauen Sie doch einmal die heutige Zigarettenwerbung an. Sie erhebt gar keinen Anspruch darauf, ihr Produkt schenke Entspannung und Genuß. Es finden sich lediglich Aussagen über die Zigarettengröße oder die Qualität des Tabaks. Warum sollten wir etwas auf die Größe und Qualität eines Gifts geben?

Die Heuchelei ist unglaublich. Unsere Gesellschaft entrüstet sich über Klebstoffsniffen und Heroinsucht. Verglichen mit dem Rauchen sind diese Probleme bloße Schönheitsfehler in unserer Gesellschaft. Sechzig Prozent der Bevölkerung waren oder sind nikotinsüchtig, und die meisten haben einen Großteil ihres Taschengelds für Zigaretten ausgegeben. Jährlich ruinieren Zehntausende ihr Leben, weil sie der Sucht verfallen. Rauchen ist mit weitem Vorsprung die häufigste Todesursache in der westlichen Gesellschaft, und wer hat den größten Gewinn davon? Unser liebes Finanzministerium. Am Elend der Nikotinsüchtigen verdient es jährlich Milliarden von Mark, und die Tabakindustrie darf jährlich mit Millionensummen für den Dreck werben.

Wie schlau, daß die Zigarettenfirmen den Warnhinweis auf ihre Schachteln drucken und unsere Regierung ein bißchen Geld für Aufklärungskampagnen springen läßt, für Sendungen über Krebsgefahren, Mundgeruch, amputierte Beine. Das gibt ihnen die moralische Rechtfertigung, zu sagen: »Wir haben Sie vor den Gefahren gewarnt. Sie hatten freie Wahl.« Der Raucher hat nicht mehr Wahl als der Heroinsüchtige. Raucher treffen nicht die Entscheidung, jetzt nikotinsüchtig zu werden; sie werden in eine raffinierte Falle gelockt. Hätten Raucher wirklich die Wahl, würde es morgen keine mehr geben, ausgenommen Jugendliche, die gerade in dem Glauben anfangen zu rauchen, sie könnten jederzeit damit aufhören.

Warum wird hier mit zweierlei Maß gemessen? Warum gelten Heroinsüchtige zwar als kriminell, können sich jedoch als Süchtige registrieren lassen und bekommen dann kostenlos Heroin und eine geeignete medizinische Behandlung, um von ihrer Sucht loszukommen? Versuchen Sie doch spaßeshalber, sich als Nikotinsüchtigen registrieren zu lassen. Sie werden die Zigaretten nicht einmal zum Selbstkostenpreis bekommen. Sie müssen den dreifachen Wert bezahlen, und jedesmal, wenn die Staatskasse leer ist, setzt der Finanzminister die Tabaksteuer hinauf. Als ob die Raucher nicht schon Probleme genug hätten!

Wenn Sie zum Arzt gehen und ihn um Hilfe bitten, wird er Ihnen entweder sagen: »Hören Sie auf damit, das Rauchen bringt Sie um«, was Sie bereits wissen, oder er verschreibt Ihnen einen Kaugummi, für den Sie die Rezeptgebühr bezahlen müssen und der genau die Droge enthält, von der Sie loskommen wollen.

Einschüchterungskampagnen helfen dem Raucher nicht. Sie machen es ihm nur schwerer, mit dem Rauchen aufzuhören. Sie versetzen ihn in Panik, was in ihm nur den Drang auslöst, noch mehr zu rauchen. Nicht einmal Teenager lassen sich davon abhalten, mit dem Rauchen anzufangen. Teenager wissen, daß das Rauchen den Menschen umbringt, wissen aber auch, daß bei einer Zigarette diese Gefahr nicht droht. Weil das Rauchen so verbreitet ist, wird der Teenager früher oder später nur mal eine einzige Zigarette versuchen, sei es unter sozialem Druck oder aus Neugier. Und *weil* sie so scheußlich schmeckt, wird er wahrscheinlich süchtig werden.

Warum sehen wir diesem Skandal ruhig zu? Warum organisiert unsere Regierung nicht endlich einmal eine wirkungsvolle Kampagne? Warum sagt sie uns nicht, daß Nikotin eine

Droge und ein tödliches Gift ist, daß es weder entspannt noch Selbstvertrauen schenkt, sondern unsere Lebenskraft zerstört, und daß oft eine einzige Zigarette genügt, um einen Menschen süchtig zu machen?

Ich erinnere mich daran, wie ich *Die Zeitmaschine* von H. G. Wells gelesen habe. Das Buch beschreibt einen Vorfall in der fernen Zukunft, bei dem ein Mann in einen Fluß stürzt. Seine Begleiter sitzen stumpf wie Vieh am Ufer, gleichgültig gegenüber seinen Verzweiflungsschreien. Ich fand dieses Verhalten unmenschlich und echt erschreckend. Ich finde, die allgemeine Apathie, die sich in unserer Gesellschaft angesichts des Raucherproblems breit macht, kommt dem sehr nahe. In England werden von der Tabakindustrie gesponserte Darts-Turniere zu Spitzenzeiten gesendet. Das Publikum schreit auf: »Hundertachtzig!« Dann wird der Spieler gezeigt, wie er sich eine Zigarette anzündet. Stellen Sie sich den Sturm der Entrüstung vor, wenn das Turnier von der Mafia gesponsert wäre und der Spieler, ein Heroinsüchtiger, gezeigt würde, wie er sich einen Schuß in den Arm setzt!

Warum sehen wir tatenlos zu, wie die Gesellschaft gesunde junge Menschen, denen nichts fehlt, teuer für das Privileg bezahlen läßt, sich psychisch und körperlich zu ruinieren und lebenslänglich zu versklaven, lebenslänglich in Schmutz und Krankheit zu vegetieren?

Vielleicht glauben Sie, ich übertreibe. Das stimmt nicht. Mein Vater starb Anfang fünfzig, schuld daran war das Rauchen. Er war ein kräftiger Mann und könnte heute noch leben. Ich glaube, daß ich in meinen Vierzigern dem Tod um Haaresbreite entgangen bin, obwohl mein Tod nicht dem Rauchen, sondern einer Gehirnblutung zugeschrieben worden wäre. Jetzt verbringe ich mein Leben als Berater und werde von Menschen aufgesucht, die die Krankheit zu Krüppeln gemacht hat, oder die sich im letzten Stadium befinden.

Und wenn Sie sich die Mühe machen, einmal nachzudenken, dann kennen Sie wahrscheinlich ebenfalls viele solche Menschen.

In der Gesellschaft weht heute ein neuer Wind. Ein Schneeball ist ins Rollen gekommen, und ich hoffe, daß dieses Buch dazu beiträgt, eine Lawine daraus zu machen.

Auch Sie können helfen, wenn Sie die Gedanken dieses Buches weitertragen.

Haben Sie noch Fragen zu dem Buch? Oder eine Anregung? Oder möchten Sie einfach nur etwas dazu mitteilen? Dann wenden Sie sich bitte an das Ihnen am nächsten gelegene Easyway-Büro. Dort erhalten Sie auch kostenlos weitere Informationen zu den Nichtraucherkursen nach der Methode von Allen Carr.

Tausende von Rauchern sind einfach und ohne Entzugserscheinung glückliche Nichtraucher geworden, indem sie einen Kurs nach der Methode von Allen Carr besucht haben. Bei diesen Kursen mit einer Erfolgsquote von über 90 % werden Sie garantiert zum Nichtraucher – oder Sie bekommen Ihr Geld zurück.

Allgemeine Anfragen bezüglich Allen Carr's Easyway in Deutschland (weitere Standorte, Kurse im Ausland etc.) richten Sie bitte an das Büro in Überacker bei München.

Allen Carr's Easyway München
Petra Wackerle & Stephan Kraus
Hochgstattweg 8
82216 Überacker bei München
Tel.: (0 81 35) 84 66
Fax: (0 81 35) 89 20

Weitere Standorte siehe nächste Seite

Allen Carr's Easyway
Düsseldorf
Axel Matheja
Steffenstraße 4
40545 Düsseldorf
Tel.: (0211) 5571738

Allen Carr's Easyway
Hamburg
Chadia Scheel
Ernst-Merck-Str. 12–14
20099 Hamburg
Tel.: (040) 2905 1056
Fax: (040) 246429

Allen Carr's Easyway
Berlin
Regine Schoengraf
Hohenstaufenstraße 10a
10781 Berlin
Tel.: (030) 21750488
Fax: (030) 21750489

Allen Carr's Easyway
Bad Salzuflen
Wolfgang Rinke
Im neuen Land 20a
32107 Bad Salzuflen
Tel.: (05222) 797622
Fax: (05222) 797624

Allen Carr's Easyway International

England
London: Roy Sheehan, Tel. 0181-9447761
Birmingham: Jason Vale, Tel. 0121-4231227
South Coast/Dorset: Anne Emery, Tel. 01425-272757
Yorkshire: Diana Evans, Tel. 01904-656703
Sheffield: Diana Evans, Tel. 0114-2683085
North East/Durham: Tony Attril, Tel. 0191-5810449
Bristol: William Adams, Tel. 0117-9081106
Wales: Jim Trimmer, Tel. 01222-705500
Exeter/Devon: Trevor Emdon, Tel. 01392-811603
Edingburgh: Derek McGuff, Tel. 0131-6606688

Holland
Amsterdam: Eveline de Moolj, Tel. 020-4654665
Soest: Nicolette de Boer, Tel. 035-6032265
Rotterdam: Kitty van't Hof, Tel. 010-2180017

Belgien
Antwerpen: Dirk Nielandt, Tel. 03-2816255

Spanien
Madrid: Rhea Sivl, Tel. 091-5438504

Australien
Sydney: Mark Thomas, Tel. 02-93282978
Victoria: Trudy Ward, Tel. 02-93282978

USA
Houston: Laura Cattell, Tel. 713-5971904

Israel
Jerusalem: Michael Goldmann, Tel. 02-6242586

Canada
Oakville/Ontario: Nancy Toth, Tel. 905-8279434

Hong Kong
Geoffrey Molloy & Leo Ngai, Tel. 852-28931571

Jetzt können Sie endlich sagen

HURRA, ICH BIN NICHTRAUCHER

Sie haben wirklich etwas Großartiges erreicht. Jedesmal, wenn wir von einem Raucher hören, der das sinkende Schiff verlassen hat, freut uns das sehr und erfüllt uns mit Befriedigung.

Es wäre für uns eine große Freude, von Ihnen zu hören, daß Sie aus dieser Falle entkommen sind. Bitte schicken Sie uns doch untenstehenden Abschnitt zurück an die folgende Adresse:

Allen Carr's EASYWAY – Einfach Nichtraucher
Hochgstattweg 8
82216 Überacker
Tel. 08135/8466
Fax: 08135/8920

Liebes Easyway-Team

HURRA, ICH BIN NICHTRAUCHER

Name: _____

Adresse: _____

_____

Bemerkungen:

_____

_____

_____

_____

GOLDMANN

Callanetics

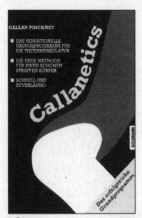

Callanetics   13848

Callanetics für den Rücken   13849

Callanetics Countdown   13906

Super Callanetics   13909

Goldmann · Der Taschenbuch-Verlag

GOLDMANN

Richtige Ernährung – Gesunder Körper

Dr. M. O. Bruker,
Gesund durch richtiges Essen　13601

Helmut Wandmaker,
Willst Du gesund sein?　13635

Ilse Gutjahr, Die vitalstoffreiche Voll-
wertkost nach Dr. M. O. Bruker　13654

Harvey u. Marilyn Diamond,
Fit fürs Leben – Fit for Life　13533

Goldmann · Der Taschenbuch-Verlag